# دليل مشاريع التخرج

# Graduation Projects Guideline

المملكة الأردنية الهاشمية

جامعة الأميرة سمية للتكنولوجيا

كلية الملك طلال للأعمال

# دليل مشاريع التخرج
# Graduation Projects Guideline

إعداد

د.عبد الغفور ابراهيم احمد　　　　د.جابر محمد البدور

المملكة الأردنية الهاشمية

رقم الإيداع لدى دائرة المكتبة الوطنية : (2011/2/721)

يتحمل المؤلف كامل المسؤولية القانونية عن محتوى مصنفه ولا يعبّر هذا المصنف عن رأي دائرة المكتبة الوطنية أو أي جهة حكومية أخرى

دار آمنـة للنشــر والتوزيـع

الأردن - عمـــان - شارع الجامعة الأردنيـــة - مقابـــل

كليـــة الزراعة (الجامعة الأردنيـــة) مجمـع سمـــارة

التجـاري (233) الطابـق الأرضـــي

تلفـــــــون: 0799670131 962+

www.amnahhouse.com

info@amnahhouse.com

amnah2m@yahoo.com

## قائمة المحتويات

المقدمة ........................................................ 7
مفهوم مشروع التخرج...................................................... 9
مشروع التخرج ........................................................ 9
صفات الطالب الباحث الجيد ........................................ 11
شروط اختيار موضوع مشروع التخرج .................................... 12
مستلزمات قبول مشروع التخرج ........................................ 13
اسلوب اعداد مشاريع التخرج ........................................ 17
دور الطالب في اعداد مشروع التخرج ................................ 17
دور المشرف في متابعة انجاز مشروع التخرج ........................ 19
دور القسم في متابعة مشروع التخرج ................................ 21
دور مسؤول مشاريع التخرج في متابعة اعداد مشاريع التخرج ............ 21
متطلبات النجاح والرسوب والتأجيل لمشروع التخرج ..................... 22
تقييم ومناقشة مشاريع التخرج ........................................ 24
اولا: قبول وتقييم مشروع التخرج.................................... 24
ثانيا : مناقشة مشروع التخرج ...................................... 27
ثالثا- الدرجات المعتمدة لتقييم ومناقشة مشروع التخرج .................. 30
الإطار العام لكتابة مشروع التخرج.................................... 31
ملاحظات حول اسلوب كتابة مشروع التخرج .............................. 37
محتويات مشروع التخرج................................................ 40
الجزء الاول : الصفحات الأولى من مشروع التخرج ........................ 40
الجزء الثاني: المتن (فصول مشروع التخرج ) ............................ 63
الجزء الثالث : المراجع والمصادر...................................... 69
بعض المختصرات والالفاظ المتقابلة التي تستخدم في مشاريع التخرج.......... 98
الجزء الرابع: الملاحق.................................................. 100
الجزء الخامس: الصفحات الأخيرة لمشروع التخرج (الخلاصة باللغة الأخرى)...... 101

## المقدمة

في ضوء سياسة كلية الملك طلال للأعمال ، لتحقيق أهداف جامعة الأميرة سمية للتكنولوجيا في مجال تعزيز البحث العلمي، تم إعداد هذا الدليل في مضمار سعينا إلى تعميم منفعة ما يحويه من معلومات عن طريق تهيئة الظروف المناسبة للطلبة من أجل تطوير أداءهم العلمي وتحصيلهم الدراسي، والذي ينعكس في مشاريع التخرج التي يعدونها في نهاية دراستهم الجامعية، ومن هنا فان مشاريع التخرج يؤمل منها أن تؤهل الطالب الخريج من تقديم أولى خطواته في مجال البحث العلمي في مضمار تخصصه العلمي والعملي. وعليه فانها تكتسب أهمية خاصة في خطط وبرامج الأقسام الأكاديمية في الجامعات. وانطلاقا من هذا المفهوم فقد تم إعداد هذا الدليل لمواصفات إخراج وتنفيذ وتوحيد مشاريع التخرج للطلبة. وليوفر معلومات واضحة للطلبة والمشرفين على مشاريع التخرج والخطوات الضرورية لمراحل إعداد مشروع التخرج من قبل الطالب، واعتمدنا في ذلك على خبراتنا في الاشراف على مشاريع التخرج والبحوث والرسائل والأطاريح الجامعية وكذلك اطلاعنا المستفيض والواسع على أدلة العديد من الجامعات ومؤلفات الأساتذة الافاضل الذين سبقونا، بحيث يكون دليلا حيا للطلبة يساعدهم في انجاز هذا المتطلب المهم من دراستهم، ابتداءا من اختيار وإقرار عنوان المشروع وحتى مناقشته، آخذين بنظر الاعتبار كتابة مشروع التخرج باللغة العربية أو باللغة الانكليزية. أملين ان تكون مبادرتنا المتواضعة هذه قد ساهمت في توفير الجهد والوقت للطلبة والمشرفين، وعززت من خطوات عملنا باتجاه تشجيعهم على إخراج مشاريع تخرجهم بصورة تنسجم وأساسيات تنظيم عملية البحث العلمي في جامعتنا العتيدة .

**والله ولي التوفيق**

**د.عبد الغفور إبراهيم أحمد** **د.جابر محمد البدور**

## مفهوم مشروع التخرج

سنتناول في هذا الجانب مفهوم مشروع التخرج ، وصفات الطالب الباحث الجيد ، وشروط اختيار الموضوع ، ومستلزمات قبول مشروع التخرج.

**مشروع التخرج**

مشروع التخرج هو دراسة علمية يقدمها الطلبة الى اساتذتهم وكلياتهم، كجزء من متطلبات الحصول على شهادة البكلوريوس، تهدف الى استخلاص فكرة او حل مشكلة أو الاجابة على تساؤل أو أثبات فرضية أو رأي معين، في مجالات تخصصهم، مع مراعاة أن تكون الفكرة جديدة، وأن يكون أسلوب الحل مبتكر مع اتباع تخطيط سليم للقدرات وللوقت و الجهد. ومشروع التخرج يمثل اختبارا حقيقيا للطلبة إذ يكشف عن قدراتهم في تحليل المشاكل وابتكار حلول جديدة لها عن طريق تصميم مشروع باستخدام مهاراتهم وقدراتهم التي اكتسبوها قبل الوصول لمادة مشروع التخرج, والتعامل مع المصادر والمعلومات والاراء باسلوب تحليلي ونقدي ومنطقي وحيادي ، حيث يكتب مشروع التخرج وفق خطة يتم اعدادها مسبقا مع المشرف وبموافقة القسم وبشكل موثق وفق المتطلبات المحددة لذلك . أن مشروع التخرج يقدم تجربة فعلية هامة للطلبة تكون مقدمة لحياتهم العملية بعد التخرج .

ويعدّ مشروع التخرج اختبارا لقدرة الطالب على تطبيق المهارات والمعارف التي حصل عليها خلال دراسته الجامعية في ضوء توجيهات وارشادات المشرف المختص على مشروع التخرج ، اذ يعتمد الطالب في عمل المشروع على ابداعه اعتمادا كليا . لذلك فكل طالب ملزم لتقديم مشروع التخرج كجزء من متطلبات تخرجه من القسم ، على ان يقدمه بشكل مستقل او بالتشارك مع طالب اخر وبحد اقصى التشارك مع طالبين وذلك بهدف تعزيز عمل الفريق الواحد

(Team work)، وفي حالات اخرى ممكن النظر في انجاز مشروع التخرج من قبل طالبين ليس اكثر . ويعد مشروع التخرج من نوع البحوث العلمية الصغيرة والتي يفضل ان يتراوح بين 35 – 45 صفحة كحد ادنى أو ضعفه كحد أعلى، حسب الاختصاصات التي يكتب بها .

يسعى مشروع التخرج بشكل عام إلى تحقيق مجموعة من الأهداف التي تساعد على زيادة فهم ما حولنا من ظواهر، وإضافة معرفة جديدة إلى رصيدنا المعرفي السابق في حقل اختصاصنا. فهو يسعى الاتي :

1- دراسة أحد المواضيع المهمة التي تتعلق باختصاص الطالب لغرض الحصول على المزيد من العلم والمعرفة .

2- التأكد من امكانية الطالب في رصد وجمع وتسجيل البيانات والمعلومات والربط بين عناصر الدراسة وتحليلها وتفسيرها من خلال القدرة الفكرية للطالب على التحليل واستخلاص النتائج. بحيث يكون الطالب الخريج قادراً على استخدام معارفه وقدراته الكتابية والخطابية والبحثية والتنظيمية .

3- تفسير الأسباب والظروف المحيطة بالمشكلة، والتعرف على أسباب حدوثها من خلال التحليل والمقارنة والربط بين عناصر البحث. وإعطاء فرصة للطالب لتطبيق ما تعلمه وتنفيذ ذلك على ارض الواقع.

4- التعرف على امكانيات الطالب في تطبيق ماتعلمه من علوم وتطبيقه على ارض الواقع من خلال استفادته من دراسته الجامعية .

5- تحقيق نتائج علمية واقعية قابلة للتطبيق وبشكل ملموس وذو منفعة للمجتمع، وبما ينسجم واهداف الجامعة في مجال البحث العلمي .

## صفات الطالب الباحث الجيد

في ضوء خصائص ومستلزمات البحث العلمي ومشاريع التخرج ، لا بد من التطرق إلى الصفات العامة للطالب الجيد لكي يكون موفقا في إنجاز كتابة مشروع تخرجه وفق متطلباته العلمية ، ويمكن تحديد هذه الصفات بما يأتي:

1- الرغبة الشخصية للطالب في موضوع البحث، لأن الرغبة الشخصية تعد من العوامل المهمة والمساعدة في إنجاح عمله ودفعه باتجاه إنجاز متطلبات مراحل مشروع التخرج .

2- قدرة الطالب على القراءة الواسعة والاطلاع على النظريات العلمية والإلمام بأساليب البحث العلمي وجمع وتحليل المعلومات والبيانات، وأسلوب العرض والكتابة بحيث يتوصل إلى حقائق علمية مقنعة ومقبولة وواضحة.

3- قابلية الطالب لإنجاز بحثه بكل مراحله ومتطلباته المعروفة والمحددة، سواء كان ذلك في تطوير قدراته وإمكانياته البحثية، أو في توفير الإمكانات المادية التي تعد عامل مساعد لإثبات عمله وبحثه.

4- إمكانية الطالب في التركيز وقوة الملاحظة في جمع المعلومات وتحليلها وتفسيرها وعدم إهمال أي فكرة أو معلومة تتعلق بالبحث، بحيث يكون يقظاً وصافي الذهن بعيداً عن أي مشاكل أخرى تخرجه عن موضوع بحثه، أو تجعله معتمداً على مصادر غير دقيقة.

5- تمتع الطالب بالقدرة على تنظيم الوقت في جميع مراحل إعداد مشروع تخرجه، من خلال تنظيم توقيتات عمله اليومي والشهري وهكذا، بالإضافة

إلى تنظيم معلومات وبيانات بحثه وفق خطته الموضوعية وبما ينجز بحثه في مواعيده الدقيقة.

6- تواضع الطالب، وعدم التعامل بصيغة فوقية مع الباحثين الآخرين الذين هم سبقوه في موضوعه وبحثه أو مع الباحثين الذين هم مصدر تزوده بالمعلومات. ومن الضروري أيضاً عدم استخدام الطالب الباحث كلمة الـ (أنا) و (نحن) في كتابته. إن التواضع أمام نتاجات الآخرين يعزز من مكانة وشخصية الباحث.

7- قابلية الطالب على التحمل والتأني، خصوصاً عندما يقوم بالبحث والمتابعة في كافة مراحل إعداد البحث جمع معلوماته وبياناته. فالباحث الجيد يجب أن يتحمل كل الصعاب والتعايش والتعامل معها بتأني وصبر وشجاعة بحيث لا تجعله يستسلم في بداية أو منتصف عملية البحث لأي ظروف تعيق متطلبات بحثه.

**شروط اختيار موضوع مشروع التخرج**

ان كل طالب أنهى المتطلبات السابقة لمشروع التخرج والمقررة من قبل الانظمة الجامعية ، ان يكون مهيأً ولديه الصورة الكاملة والواضحة في اختيار موضوع مشروع تخرجه كجزء من متطلبه الدراسي ووفق ما يأتي :

1. أن يكون موضوع مشروع التخرج الذي تم اختياره ذو قيمة علمية أصيلة غير مكررة ، ويتناول موضوع ذو اهمية ملموسة في مجال تخصصه الأكاديمي والمجتمع ، بحيث يقدم حلول واقعية وفعلية ، مع إمكانية تطبيق المشروع في الحياة العملية .

2. أن يقوم الطالب بالعمل البحثي الميداني وجمع المعلومات والملاحظات المناسبة للمشكلة البحثية التي هي بحاجة للبحث والتطوير ، بحيث تنسجم وامكانيات الطالب المالية والتي تجعله قادرا على انجاز البحث ضمن الفترة الزمنية المحددة .
3. أن يكون لدى الطالب معلومات نظرية كافية وموثقة (كمسودة) عن الموضوع المختار قبل البدء في تنفيذ المشروع .
4. وضع خطة زمنية ومفصلة لمراحل إنجاز المشروع في الفترة المحددة .

**مستلزمات قبول مشروع التخرج**

من خلال فهم الطالب لخصائص البحث العلمي واهمية مشاريع التخرج والتي تترابط بشكل وثيق مع مستلزمات ومتطلبات مشروع التخرج الجيد المستوفي لشروط جودته، نجد من الضروري التاكيد على مايأتي :

1- **دقة العنوان:** إن دقة صياغة العنوان وتحديده بشكل واضح وشامل وبدلالة موضوعية، يعد من الأمور المهمة في مشاريع التخرج، لأن عنوان مشروع التخرج يعكس لنا فكرة الباحث، وقدرته على إثباتها ووضع المقترحات بصددها. وينبغي توفير ثلاثة شروط أساسية في العنوان:

- **الشمولية:** أي أن يكون العنوان المرآة التي تعكس المحتوى ( The title must be the mirror of the text) ، بحيث يكون شاملاً للإتجاه المحدد للموضوع الدقيق للمشكلة المبحوثة ومجالها الجغرافي والفترة الزمنية التي يغطيها المشروع .

- **الوضوح:** أن يكون العنوان واضحاً في العبارات والمصطلحات والرموز المستخدمة.
- **الدلالة:** أن يكون العنوان دالاً لموضوع المشروع ، دلالة موضوعية ومحددة وواضحة بعيدة عن العموميات والفرعيات.

مع ملاحظة بأن هناك تفضيل لأن يكون العنوان بكلمات محدودة لا يتعدى ست كلمات، وإن تمت كتابته بكلمات أقل يكون ذلك أسهل للقاريء.

2- **وضوح خطوات وحدود مشروع التخرج :** إن مشروع التخرج هو عملية بحثية منظمة ومنسقة تبدأ بخطوات واضحة وشاملة، ابتداءً من تحديد مشكلة وفكرة البحث وانتهاءً بالنتائج والتوصيات. بحيث يُعزز ذلك الوضوح في كل تفاصيل المشروع اللاحقة أو مجريات القياس والتفسير المستخدمة وبشكل مترابط ومتسلسل ومتناسق مع جوهر وحجم المشكلة المبحوثة.

3- **الإلمام بموضوع مشروع التخرج :** ضرورة أن يكون للطالب إلمام كاف يتناسب مع موضوع ومشكلة مشروع التخرج من جهة ، ويتناسب مع مؤهلاته العلمية وتحصيله الدراسي من جهة أخرى، بحيث تكون له القدرة والمهارة والكفاءة الفنية والعلمية التي تجعله قادراً على الخوض في مجال موضوع البحث والتوصل إلى نتائج وتوصيات تنسجم ومتطلبات البحث العلمي الجيد.

4- **وضوح الأسلوب:** من مستلزمات مشروع التخرج الجيد أن يكتب بأسلوب واضح وسليم ومشوق ومفهوم للقارئ (Simpled clear) وهذا يتطلب المراجعة والتدقيق المستمر في كل صفحة من صفحاته.

5- **الترابط والتسلسل:** أن يكون مشروع التخرج مترابط ومتسلسل بين أجزائه المختلفة وبشكل منطقي وموضوعي ومتناسق بانسيابية جيدة سواء كان ذلك بين الاجزاء والفصول أو بين العناوين الرئيسية والفرعية.

6- **الأصالة والابتكار:** تسعى مشاريع التخرج شأنها شأن البحوث العلمية وباحثيها الوصول إلى نتائج علمية جديدة ومفيدة ذات أهمية علمية عامة، وعليه فالطالب الجيد يجب أن ينظر إلى مدى إسهامه وإضافته إلى المعرفة حسب اختصاصه، وأن يعرف كيف يبدأ من حيث انتهى الباحثون السابقون، وأن لا يكون المشروع مأخوذاً من فكرة موجودة مسبقا دون القيام بأي تطوير عليها ، بحيث يغني ويعزز المسيرة العلمية في مجال اختصاصه .

7- **الموضوعية:** إن من خصائص ومستلزمات مشروع التخرج الجيد أيضاً، هو أن يكون موضوعياً في تحليله للمعلومات والبيانات وغير متحيز في ذكر النتائج التي تم التوصل إليها.

8- **توفر المعلومات الكاملة:** ضرورة توفر المعلومات والمصادر الكافية والشاملة عن موضوع مشروع التخرج ومن كافة المصادر المعتمدة والموثوقة التي يتوصل إليها الطالب الباحث.

9- **الأمانة العلمية:** تعد الأمانة العلمية والصدق والدقة من المتطلبات المهمة لمشروع التخرج الجيد سواء كان ذلك في عملية الاقتباس وجمع المعلومات ونقل الآراء والأفكار أو في توضيح مصادرها ومراجعها بشكل كامل.

10-**التفرغ :** إحدى مستلزمات مشاريع التخرج أن يكون لها وقت محدد لتنفيذ خطواتها وإنجازها، وعليه فإن عملية إعداد وإنجاز المشروع تتطلب توفير الوقت اللازم والكامل للبحث بشكل يتناسب مع حجمه وطبيعته. وعليه

فالطالب الباحث الجيد هو الذي يتفرغ لبحثه ويركز في تفكيره طيلة الوقت والفترة الزمنية المحددة للإيفاء بمتطلبات مشروع تخرجه .

**11-بالاضافة لما تقدم :**

- يجب على الطالب أن يأخذ الموافقة من المشرف والقسم قبل البدء بالمشروع .
- أن لا يتجاوز عدد الطلاب المشتركين في المشروع الواحد طالبين إلا في حالات استثنائية يوافق عليها القسم .
- يقدم الطالب مقترح مشروع حسب نموذج خاص ، ويسمح للطالب تقديم أكثر من مقترح مشروع ويتم الاختيار حسب الأولوية .
- يتم تقييم المشاريع المقترحة من قبل لجنة المشاريع ويقوم الطالب بمراجعة القسم لمعرفة النتيجة. وفي حالة القبول يبدأ الطالب العمل مباشرة مع المشرف. أما في حالة الرفض فعلى الطالب إعادة تقديم مقترح جديد مرة أخرى للجنة المشاريع.

## اسلوب اعداد مشاريع التخرج

يتكون مشروع التخرج من عنصرين أساسيين هما:-

1. **التقرير التفصيلي :** - وهو عبارة عن شرح تفصيلي نظري عن المشروع موثق بطرق علمية واضحة ويحتوي هذا التقرير على الهدف العام من المشرع وطريقة البحث وطرق جمع المعلومات وتحليلها .
2. **النتائج :**- وهو عبارة عن المخرج النهائي الذي وصل إليه الطالب عن طريق التحليل العلمي والتطبيق العملي في الحالات التي يمكن عمل المتطلبات اللازمة كاستخدام لغة من لغات البرمجة وتنفيذ برنامج حاسوبي يمكن الاستفادة منه.

### دور الطالب في اعداد مشروع التخرج

لضمان انجاز المشروع بشكل جيد وفي ظروف حسنة، يجب تحديد مسؤولية الطالب اتجاه مشروع التخرج ، حيث يعتبر الطالب الطرف الرئيس والمسؤول الأول عن تنفيذ المشروع وتترتب عليه جملة من المسؤوليات والمهام نوجزها كما يلي:

- يعتبر مشروع التخرج بمثابة مقرر دراسي يتعين على الطالب انجازه خلال الفصل الدراسي المحدد من المسار الجامعي للطالب. لذا يجب على الطالب اختيار مشروع التخرج مع بداية الفصل المخصص لذلك.
- على الطالب البحث والتفكير في مشروع تخرج خاص به من خلال الاتصال بالمؤسسات الخاصة أو الدوائر الحكومية قبل فترة مناسبة،

وتقديم المقترحات للقسم ومناقشتهم بها؛ مع العلم أن هناك مشاريع داخلية يقترحها القسم لكنها قد لا تكفي جميع الطلاب وعليه فإن القسم لا يتحمل مسؤولية توفير مشروع تخرج لكل طالب.

- يعتبر مشروع التخرج عملا شخصيا يجب على الطالب انجازه بنفسه وفي حالة ثبوت عكس ذلك فسيعاقب الطالب طبقا للوائح الجامعية المتعلقة بالغش.
- على الطالب الاتفاق مع المشرف حول مواعيد اللقاءات الأسبوعية لمناقشة ومتابعة سير العمل ويجب عليه الالتزام بهذه المواعيد. وعدم التزامه بها يعتبر غيابا يعامل به حسب اللوائح المنظمة.
- على الطالب الحضور بشكل منتظم لمقرر المشروع وإلقاء عروض دورية حول مشروعه.
- على الطالب جمع المراجع والمعلومات اللازمة لإجراء مسح أدبي حول موضوع المشروع وفهمه جيداً.
- بعد ذلك ينبغي على الطالب اقتراح وتصميم حلول نظرية للمسألة المطروحة.
- على الطالب مناقشة الجزء الأول من المشروع قبل موعد مناسب أمام المشرف على المشروع وبحضور الطلاب ان امكن .
- على الطالب استكمال تصميم الحلول النظرية على أن لا يتأخر في البدء في الجانب العملي من المشروع حتى يتسنى له إكمال البرامج والقيام بالتطويرات اللازمة.
- على الطالب تحضير ملصقات تعرف بمشروعه وتبين أهم النتائج التي توصل لها وتعليقها في العرض الجماعي الذي تقيمه لجنة المشاريع قبل موعد الامتحانات بأسبوعين. ويعتبر الحضور والمشاركة في هذا العرض مهماً في تقييم المشروع .

- على الطالب إعداد التقرير النهائي حول مشروع التخرج بشقيه الأول والثاني باللغة الإنجليزية وفقا للضوابط الموضحة في الشروط الشكلية للمشروع .
- على الطالب تسليم نسخ من مشروع التخرج للقسم ، وبعدد أعضاء لجنة مناقشة المشاريع وأن تكون مجلدة (Soft cover) or (Ring Bound Copy)، وقبل موعد الامتحانات بأسبوعين.
- على الطالب مناقشة مشروع التخرج قبل موعد الامتحانات بأسبوع واحد أمام لجنة المناقشة التي تحدد وفقا للضوابط التي يضعها القسم .
- تسلم النسخة النهائية من المشروع بعد أن تتم مناقشة المشروع ، وعلى ان يقوم الطالب بتصحيح الأخطاء والملاحظات التي قدمتها له لجنة المناقشة وتسلم النسخة الأخيرة كالتالي :

1. ثلاث نسخ مجلدة (Hard cover) وبلون أسود أو أزرق أو اخضر، وتطبع الأحرف على التجليد باللون الذهبي أو الفضي اللامع أو وفق تعليمات القسم.
2. توقع النسخ من قبل أعضاء لجنة المناقشة.
3. يرفق مع النسخ الثلاث قرص مرئي يوضع داخل النسخة الأخير ويحتوي على المشروع (البرنامج + التوثيق).

- التوقيع على نموذج تسليم النسخة النهائية .

**دور المشرف في متابعة انجاز مشروع التخرج**

يشرف الأستاذ على المشاريع المسندة إليه بما في ذلك المشاريع التي اقترحها (إن وجدت) الطلاب وأوكلت إليه. ويعتبر الطرف الرئيس الثاني في عملية تنفيذ المشروع وتترتب عليه جملة من المسؤوليات من بينها:

- تحديد مواعيد أسبوعية لمناقشة المشاريع مع الطلاب وتقديم الإرشادات والتوجيهات اللازمة لهم.
- متابعة تنفيذ المراحل المبينة في الخطة العملية للمشروع والتأكد من أن العمل أنجز بمجهود شخصي للطالب وإشعار رئيس القسم كتابيا في حالة ثبوت عكس ذلك وفق نموذج خاص بذلك .
- رفع تقرير لرئيس القسم خلال الأسبوع الرابع من الفصل الدراسي حول تقدم الطالب في مراحل تنفيذ المشروع.
- حضور المناقشة وتقييم الطالب من 40 علامة حسب النموذج الخاص بذلك، أو حسب ما يقرره القسم .
- إبلاغ القسم بأي تغييرات جوهرية تحدث على المشروع.
- رفع تقرير قبل موعد الامتحانات بثلاثة أسابيع حول حالة المشروع (سيقدم للنقاش، سيؤجل أم سيعاد) مع ذكر الأسباب في كل حالة.
- متابعة ملاحظات القسم والتأكد من تنفيذ التغييرات المطلوبة.
- يتحمل المشرف القسط الأكبر من عملية الأشراف ومتابعة الطالب. ويتعين عليه تقديم كل ما يساعد الطلاب في البحث خصوصا:
  1. تعلم طرق البحث وجمع المعلومات للقيام بمسح أدبي حول مشاريعهم.
  2. تحسين مهارات الإلقاء لديهم من خلال تقديم عروض دورية حول عملهم ومناقشتها بينهم.
  3. كتابة خطة العمل للبحث.

## دور القسم في متابعة مشروع التخرج

يعتبر القسم طرفا مهما في عملية انجاز المشاريع . فهـو يتـولى مهمـة التنسـيق والمتابعـة بصفة عامة. ويمكن تلخيص مهامه في هذا المجال بما ياتي :

- الإشراف على جمع وانتقاء المشاريع.
- توزيع المشاريع على الطلاب وتحديد المشرفين عليهم.
- متابعة الطلاب.
- تحديد مواعيد ولجان مناقشة مشروع التخرج، وتهيئة المكان المناسب لذلك.
- الإشراف على نقاش المشاريع واختيار المشاريع المتميزة.
- تقييم الطلاب أثناء مناقشة المشروع من (60%) أو حسب مـا يقـرره القسـم، وتعبئة النموذج المعد لذلك .
- إقرار علامات الطلبة ورفعها إلى دائرة التسجيل.

## دور مسؤول مشاريع التخرج في متابعة اعداد مشاريع التخرج

يفضل ان يتم تكليف احد الاساتذة كمنسق لمشاريع التخرج بحيث يكون المحرك الأساسي لمشاريع التخرج ومن أهم مهامه ما يلي :

- إعطاء محاضرة تعريفية بداية الفصل عن أهمية وطريقة عمل مشروع التخرج.
- التنسيق مع الجهـات الخارجيـة في حالـة حـدوث أمـر يحتـاج لتـدخل المنسـق لمساعدة الطالب في التعاون مع الجهة التي ينفذ فيها بحثه.
- الإعلان عن مواعيد الاجتماع والمناقشات .
- العمل كحلقة وصل بين الطلاب والمشرف .

- توزيع تقارير المشاريع على اللجنة قبل المناقشة بأسبوع لمراجعتها وتقييمها.
- توزيع نماذج مناقشة المشاريع الخاصة باللجنة على الأعضاء قبل المناقشة حسب نموذج خاص بذلك.
- استعادة النماذج من اللجنة واستخراج متوسط الدرجة ورصدها في النموذج الخاص بذلك .
- يقوم المنسق برصد الدرجة النهائية بعد الحصول على الدرجة من المشرف ومتوسط درجات اللجنة ويرصدها في النموذج المخصص .
- يقوم المنسق بتسليم رصد الدرجة النهائية إلى رئيس القسم.
- يقوم المنسق بتسليم النسخ النهائية من المشاريع بعد تصحيحها ووضعها في صورتها النهائية مرفق بالنموذج الخاص بذلك إلى كل من :
  1. نسخة للمشرف .
  2. نسخة لمكتبة الكلية .
  3. نسخة للقسم.

**متطلبات النجاح والرسوب والتأجيل لمشروع التخرج**

1. **النجاح:** يعلن نجاح الطالب في حالة حصوله علي نتيجة إجمالية في كافة التقييمات لا تقل عن **50%**.

2. **الرسوب:** يعتبر الطالب راسبا في إحدى الحالات التالية:
   - حصوله على نتيجة إجمالية أقل من **50%**.
   - بناء على رأي المشرف والمبررات التي قدمها حول حالة الطالب .

- وفي الحالة الثانية لا يمرر المشروع للنقاش ويعلن رسوب الطالب مباشرة.

3. **التأجيل:** يمكن تأجيل المشاريع في الحالات التالية:

- **الحالة الأولى:** عدم تمكن الطالب من إنهاء المشروع في الوقت المحدد لأسباب تتعلق بطبيعة المشروع ويراها المشرف وجيهة وتستحق التأجيل.
- **الحالة الثانية:** تقديم المشروع للنقاش واقتراح لجنة النقاش فترة إضافية لإجراء بعض التعديلات أو استكمال أجزاء ناقصة في المشروع. وفي الحالتين يجب تحديد المدة المناسبة للتأجيل على أن يناقش المشروع في موعد أقصاه الأسبوع الثاني من الفصل الدراسي التالي.
- **الحالة الثالثة:** استحالة إنجاز المشروع بسبب ظروف خاصة تتعلق بالطالب (صحية أو غيرها). وفي هذه الحالة يعرض الموضوع على مجلس القسم للنظر في حالة الطالب والمبررات التي قدمها ويأخذ بعين الاعتبار رأي المشرف إن كان عمل مع الطالب لبعض الوقت. وقد تصل مدة التأجيل فصلا كاملا حسب الحالة والمبررات.وفي الحالات الثلاثة الأنفة الذكر لا ترصد درجة للطالب ويعتبر العمل غير مكتمل. ويجب الأخذ بعين الاعتبار عدم تأجيل المشروع لأكثر من مرة واحدة وإلا يتحول التأجيل إلى رسوب.

# تقييم ومناقشة مشاريع التخرج

بعد أن يكتمل مشروع التخرج في هيئته الخارجية والداخلية وقراءته الدقيقة وضبطه بصورة أنيقة ومرتبة والانتهاء من التعديلات عليه، ينتقل مشروع التخرج إلى مرحلته الأخيرة وهي تقييمه ومناقشته والحكم على صلاحيته في القبول .

**اولا: قبول وتقييم مشروع التخرج**

في هذه الخطوة يتم الحكم على صلاحية مشروع التخرج من حيث النتائج التي حققها في حل مشكلة البحث، ومن ناحية اكتساب مشروع التخرج للمواصفات المعتمدة في إعداد وإنجاز وكتابة البحوث العلمية:

- إما قبوله بدون ملاحظات أو مع ملاحظات لتكملة النقص الذي يجب إنجازه ليكتسب المشروع متطلبات القبول.
- أو رفضه لعدم اكتسابه شروط ومتطلبات البحث العلمي.

وهنا القبول سيجعل مشروع التخرج يأخذ طريقه كإضافة علمية للأغراض التي أعد من أجلها. وسنتطرق إلى أهم الأسس والشروط التي تعتمد في هذا المجال:

1- بعد إنجاز الطالب لمشروع تخرجه ، والذي أعد لغرض. يجب أن يعرض على لجنة المناقشة لإقرار صلاحيته وقبوله.

2- يتم اختيار لجنة المناقشة من أساتذة لهم الخبرة والتمرس في المعرفة والبحث العلمي بالإضافة إلى خبرتهم وتجربتهم في عملية تقييم مشاريع التخرج . ويتم اختيارهم من ذات القسم أو الجامعة حسب متطلبات وشروط إعداد مشروع التخرج .

3- من الضروري أن يكون اختصاص المناقشين ضمن تخصص موضوع البحث.

4- يقوم كل مناقش بدراسة مشروع التخرج من كافة الجوانب المطلوب تضمينها في البحوث العلمية ، وأحياناً توضع شروط محددة من قبل القسم في استمارة معدة لهذا الغرض.

5- في حال وجود أكثر من طالب مشترك في مشروع واحد توزع المهام عليهم ضمن الشروط السابقة والتقيد بالوقت ويقوم بالإجابة الشخص الذي توجه له الأسئلة أو يطلب منه الشرح ويجب أن يتم التنسيق بين الطلبة مسبقا على مراحل المناقشة بأن يحددوا بينهم من يقوم بالعرض للمشروع ويحق للجنة استبدال الطالب بأخر من المجموعة.

6- من أبرز المجالات التي يركز عليها المناقش لغرض اتخاذ قرار بصدد صلاحية مشروع التخرج هي في دراسة الجوانب التالية:

- أن يكون عنوان مشروع التخرج معبّراً وملائماً ومحكماً عن الموضوع (succinct and apt)الذي خاضه الباحث، وتكون عبارات صياغته واضحة وكاملة وذو دلالات دقيقة ووفق الشروط الموضوعية لعناوين البحوث. وكلما كان البحث كذلك كلما أعطى انطباع بأن الباحث كان موفقاً في اختياره.
- أن تكون مشكلة البحث لمشروع التخرج قد تم تحديدها بشكل دقيق وواضح ومفهوم وتعبر عن قدرة وإمكانية الباحث من حيث الزمان ونطاق البحث من جهة ومن حيث الإمكانات المادية والعلمية من جهة أخرى.
- الأشياء المفيدة التي أضافها الطالب إلى مجال المعرفة في التخصص والمجال الذي كتب فيه مشروع التخرج ، لذلك فالابتكار والأصالة من

الأمور المهمة التي تجعل البحث ذو قيمة لاكتساب المكانة العلمية المطلوبة. وهذه تؤشر على مدى نجاح الطالب الباحث في إنجاز بحثه على الوجه الأكمل.

- أن تكون المعلومات التي جمعها دقيقة وجادة وفق الأسس والمعايير المطلوبة، سواء كان ذلك من حيث القدرة على اختيار العينة وتحديد حجمها، أو صحة وتناسق طرق الاختبار الذي أجري عليها. وكل ذلك يدققه المقيم لكي يحكم على مدى كفاءة الباحث في جمع المعلومات والبيانات الخاصة ببحثه.
- كما يدقق الاستاذ المناقش ويؤشر إمكانيات الباحث في تبويب وعرض البيانات والمعلومات وتحليلها وفق الأسس المحددة والمتعارف عليها، سواء كان ذلك بالجداول والأشكال والصور والخرائط، أو من خلال مناقشته لهذه المعلومات والبيانات في متن تقرير البحث الخاص بمشروع التخرج .
- يهتم المناقش بدقة صياغة مشروع التخرج من الناحية الشكلية في التزام الباحث في المواصفات الفنية، وكذلك من الناحية الموضوعية في أسلوب الكتابة والالتزام بقواعد اللغة وتسلسل الأفكار وترابط الفقرات داخل متن المبحث وكذلك ترابط المباحث والفصول وتناسقها الفكري.
- وتعد الاستنتاجات والتوصيات إحدى الفقرات المهمة التي يركز عليها المناقشون ، في مدى انسجامها وموضوعيتها مع الافتراضات والتساؤلات التي تم طرحها بخصوص موضوع البحث، وهل جاءت النتائج لتشكل إجابات واضحة لتلك التساؤلات وبشكل منطقي وعلمي مقبول.

- يلاحظ المناقش دقة مصادر البحث، وأسلوب صياغتها في الحواشي أو في نهاية البحث. كذلك يلاحظ طريقة الاقتباس من هذه المصادر وانسجامها مع الشروط الموضوعية والحدود المقبولة.

**ثانيا : مناقشة مشروع التخرج**

إن مناقشة الطلبة لم تكن بمثابة امتحان للطالب، بل هي وسيلة لإظهار قدرته، ونضوجه الفكري، ومكانته البحثية. بل هي أسلوب لإعداده وتعزيز شخصيته للمرحلة اللاحقة من خلال الحوار والمناقشة للبحث، والتوجيهات البناءة والنقد الصريح الذي يواجهه الطالب أثناء ذلك الحوار والمناقشة. ويمكن تحديد أبرز الخطوات التي تحتاجها المناقشة فيما يأتي:

**الخطوة الأولى** : تأتي بتحديد لجنة المناقشة وإعلان وقت ومكان وتاريخ المناقشة، وعلى الطالب أن ينجز ثلاث مواضيع مهمة وهي :

- الموضوع الأول ، إعداد ملخص وبحدود خمسة عشر دقيقة أو حسب ما تحدده التعليمات، تصاغ بدقة ووضوح تام بحيث تكون شاملة وكاملة ومنسجمة مع خطه وتقرير مشروع تخرجه ونتائجه وتوصياته، وأحياناً يقوم الطالب بتوزيعها على أعضاء لجنة المناقشة والحضور.

- والموضوع الثاني ، التدريب على إلقاء الملخص وفق الوقت المحدد والرد على الأسئلة المتوقعة من المناقشين بهدوء وضمن الوقت وحسب أهمية كل سؤال، وبما يبرز إمكانية وشخصية الطالب العلمية وثقته بنفسه وبحثه.

- الموضوع الثالث ، الاستعانة بالوسائل الإيضاحية التي تعزز من استعراضه لبحثه.

**الخطوة الثانية** والخاصة ببدء جلسة مناقشة الرسالة والتي تجري عبر ثلاث محاور يجري العمل بها في أغلب المناقشات وهي:

- المحور الشكلي: حيث يتناول المناقشون موضوع الكتابة ومن حيث الأخطاء الإملائية والنحوية والصياغة، والتزام الطالب بقواعد الترقيم والاقتباس والترتيب وأسلوب تنظيم الحواشي والمصادر وتوازن الفصول وغيرها من الأمور الفنية في كتابة مشاريع التخرج الجامعية.

- المحور الموضوعي: وهنا يركز المناقشون على قدرة الباحث في تناول الموضوع ومشكلة البحث، والنتائج التي توصل إليها. ومجالات الضعف والقوة في البحث، ومدى ترابط وتسلسل الأفكار والنتائج التي تنسجم مع مشكلة وفرضية وأهداف مشروع التخرج، وهل هناك إضافة جديدة وأصالة بحثية، وما هي المراجع التي اعتمدها، وأمانته العلمية في استعراضه وإنجازه لمتطلبات مشروع التخرج .

- المحور الشخصي للطالب: وهنا يختبر المناقشون شخصية ومظهر وإمكانيات الطالب العلمية والخلقية في احترامه لعلمه وقدرته في المناقشة والحوار العلمي، وهدوئه وسيطرته على المادة ضمن الوقت المحدد، وإمكانياته العلمية في التمسك بنتائج بحثه وعدم تسليمه للآراء والمقترحات والنقد التي تطرح أثناء المناقشة، وهي جميعها تؤهله للحصول على الشهادة.

**الخطوة الثالثة:** وتتعلق بوقت المناقشة، حيث جرت العادة أن يكون وقت مناقشة مشاريع التخرج لا يتجاوز ساعة واحدة ، وتقسم التوقيتات وفق ما يأتي:

- 15-20 دقيقة: افتتاح جلسة المناقشة من خلال مقدمة لرئيس لجنة المناقشة للتعريف بمشروع التخرج والطالب الباحث. ومن ثم يبدأ الباحث بعرض ملخص مشروع التخرج .
- 25-40 دقيقة: مداخلة أعضاء لجنة المناقشة ووفق ما أوضحناه في الفقرة ثانياً أعلاه.

**الخطوة الرابعة:** يعقد المناقشون اجتماعاً مغلق لغرض عرض رأي وتقييم كل عضو لجنة مناقشة لمشروع التخرج من الناحية الشكلية والموضوعية والشخصية، وتثبيت القرار، والدرجة التي يستحقها الطالب.

**الخطوة الخامسة:** يصدر قرار اللجنة بالاتفاق .

## ثالثا- الدرجات المعتمدة لتقييم ومناقشة مشروع التخرج

يتم تقييم المشروع بأن يؤخذ بعين الاعتبار عدة أمور توزع على أساسها الدرجات:

- يتم إعطاء 40% من الدرجة المستحقة من قبل المشرف حسب نموذج خاص بذلك ويسمح للمشرف إعطاء وتقييم خاص لكل طالب في المجموعة.
- يتم إعطاء 60% من الدرجة المستحقة من قبل لجنة المناقشة حسب نموذج خاص بذلك.

يقوم منسق المشاريع بجمع النماذج من المناقشين واخذ مجموع درجاتهم وإضافتها لدرجة المشرف ومن ثم رصد الدرجة النهائية على المشروع.

- يقوم المنسق بوضع الدرجات حسب النموذج المعد لذلك ، وتوقيعها من رئيس القسم.

ملاحظة: تختلف الكليات والجامعات في أسس توزيع الدرجات فلكل كلية أو جامعة تعليماتها الخاصة بذلك.

## الإطار العام لكتابة مشروع التخرج

لابد لنا في هذا الجانب ان نوضح اهم فقرات الاطار العام لكتابة مشروع التخرج وبعض الملاحظات حول اسلوب كتابته :

1. يكون الحد الأدنى لعدد صفحات مشروع التخرج (10,000) كلمة أي (45) صفحة تقريباً ، أما الحد الأعلى فهو ضعف ذلك.
2. يكتب مشروع التخرج بلغة سليمة سواء أكانت بالعربية أم بالإنجليزية، وفي أقسام اللغات تكتب حسب التخصص . وتسلم إلى لجنة المناقشة خالية من الأخطاء النحوية والإملائية والمطبعية، وكذلك تسلم النسخة النهائية للقسم خالية من الأخطاء أو الشطب.
3. أ- تبدأ الجملة بكلمة، ولا يجوز أن تبدأ برقم أو رمز أو اختصار. وعند ورود الأرقام من صفر إلى 99 في النص تكتب كتابة، فمثلاً تكتب سبعة بدلاً من7 أما ما يزيد على 99 فتكتب بالأرقام هكذا: 132.

ب- يكتب التاريخ كما يلي: 11 تشرين الثاني 1952. وتكتب الفترة (من – إلى) كما يلي: 2010-2011 أما القرون فتكتب كاملة بالحروف دون الأرقام مثل: القرن التاسع عشر .

ج- يستحسن استخدام نظام الأربع والعشرين ساعة عند الإشارة إلى الوقت وكما يلي:(15:13 ، 30: 09).

د- تكتب النسب المئوية في داخل النص بالحروف مثل (10 في المائة). اما في الجداول والأشكال فتكتب كما يلي ( 10% ، 11%).

ه- تكتب وحدة القياس حسب مختصراتها (م، كغم، كم) ولا يترك فراغ بين الرقم ووحدة القياس المختصرة.

4. تقليل الاختصارات ما أمكن وعدم استخدامها إلا للضرورة، وتكتب عند ورودها لأول مرة كاملة ، ويوضع الاختصار بين هلالين، فإذا وردت منظمة الصحة الدولية (World Health Organization ) فيكتب اختصارها كالآتي: ( WHO ) ثم يستخدم الاختصار فقط في المرات اللاحقة دون وضعه بين هلالين، على أن يوضع في مقدمة مشروع التخرج قائمة بالمختصرات الواردة فيها.
5. تبدأ عناوين مشروع التخرج الرئيسة في صفحات جديدة ولا يجوز أن تبدأ في وسط الصفحة أو آخرها ولا يتحول إلى صفحة جديدة إلا عند اكتمال الصفحة الحالية.
6. يقدم مشروع التخرج مطبوعا على الحاسبة باللغة العربية أو الإنجليزية على ورقة كوارتو A4 أبيض بنط 14، وعلى وجه واحد من الورقة، ويستعمل في ذلك الخط من نوع ( Simplified Arabic ) إذا كانت باللغة العربية، ومن نوع ( Time new Romans) إذا كانت باللغة الإنجليزية.
7. تكون المسافة بين السطور عند الكتابة باللغة الإنجليزية مسافة ونصف أو مسافتين خصوصاً عند الكتابة الأولى (مسودة ) لعرضها على المشرف لغرض التصحيح. و عند الكتابة بالعربية فتكون مسافة ونصف ايضا. ويمكن للقسم إصدار تعليمات خاصة به.
8. تكون المسافة عند كتابة العناوين الرئيسة وعناوين الجداول والرسومات والمراجع مسافة واحدة أما المسافة بين المرجع والذي يليه فتكون مسافتين،أو حسب تعليمات القسم.
9. تكون مسافة الهامش من جهة التجليد 3.5 سم. أما بقية الهوامش فتكون 2.5 سم.

10. أبعاد الأسطر في النص متباعدة بمقدار واحد في كامل البحث عادة ما تساوي 1.5سطر مع ضرورة الاهتمام بالمسافة البادئة يمين في السطر الأول من كل فقرة. في اللغة الانكليزية تكون هكذا إذا لم تكن هناك مسافات بين الفقرات، وعكس ذلك لا تستخدم إلا في بداية العنوان.

11. ضرورة ترك سطرين فارغين قبل العناوين الرئيسية، وسطر واحد بعدها، كذلك نوع خط الكتابة ومقاسه وبنطه، ولا ننسى ترك مسافة حرف واحد بعد النقطة الفاصلة (. ، ،) ولا تترك مسافة بينهما.

12. الغلاف الخارجي فنوعية الخط ومقاسه ونمطه كما يلي:

| **التفاصيل** | **نوع الخط** | **المقـــــاس باللغتين** | **النمط** |
|---|---|---|---|
| الجامعة | Simplified Arabic | 16 | أسـود غـامق Bold |
| عبارة تقديم المشروع والتخصص | Simplified Arabic | 16 | أسود غامق |
| العنوان الرئيسي | Simplified Arabic | 24 أو 20 | أسود غامق |
| إعداد | Simplified Arabic | 16 | أسود غامق |
| المشرف | Simplified Arabic | 16 | أسود غامق |
| السنة | Simplified Arabic | 16 | أسود غامق |

- بالنسبة للغة الانكليزية يكون نفس الشيء، مع الإشارة إلى نفس نوع الخط.

13. تكون مقاسات ونوع الخط والنمط للعناوين والنصوص كما يأتي:

| التفاصيل | نوع الخط العربي | نوع الخط الإنجليزي | المقاس العربي | المقاس الانكليزي | النمط |
|---|---|---|---|---|---|
| عناوين الفصول في الصفحات الفاصلة | Simplified Arabic | Times New Roman | 24 | 22 | أسود غامق Bold |
| عناوين الفصول والمباحث في المتن | Simplified Arabic | Times New Roman | 18 | 16 | أسود غامق مسطر |
| العناوين الفرعية | Simplified Arabic | Times New Roman | 16 | 14 | أسود مسطر غامق |
| العناوين الثانوية (بعد الفرعي) | Simplified Arabic | Times New Roman | 14 | 12 | أسود عادي |
| نص البحث | Simplified Arabic | Times New Roman | 14 | 12 | أسود عادي |
| الهوامش | Traditional Arabic | Times New Roman | 12 | 10 | أسود عادي |
| نص الاقتباس أو العبارات الهامة | Simplified Arabic | Times New Roman | 14 | 12 | أسود عادي |

ملاحظة:

أ- بالنسبة للكتابة باللغة الإنكليزية فمقاس الخط هو دائماً نفس مقاس اللغة العربية مطروحاً منه (2).

ب- لا توضع الخطوط تحت العناوين.

ت- يكون حجم الحرف 12 أو أقل لكتابة المعادلات.

14. يكتب عنوان الجدول في الأعلى، ويكتب عنوان الشكل أو الرسم أو الخارطة في أسفله، ويجب أن يكون العنوان في الحالتين معبراً عن محتواه.، ومن الضروري الاشارة الى مصدره كاملا تحت الجدول او الشكل او الرسم. علماً إذا كان الجدول أو الشكل من عمل الباحث يكون المصدر كما يلي: (المصدر: من إعداد الباحث) (Prepared by Resercher).

15. ترقم الجداول والرسومات بشكل متسلسل لكل منها داخل مشروع التخرج اما ككل او حسب كل فصل. ويجب أن تظهر الجداول والأشكال والرسومات مباشرةً بعد ذكرها في النتائج والمناقشة في المتن، ولا يجوز وضعها في نهاية مشروع التخرج.

16. لا يجوز استعمال ضمير المتكلم في المتن بل يستعمل ضمير الغائب بدلاً من ذلك مثل "استعمل الباحث مقياس ...." أو "استخرج الباحث الوسط الحسابي والانحراف المعياري .....". ويجوز استعمال المبني للمجهول مثل "استخرجت مؤشرات الصدق والثبات للمقياسين ....". يجوز استعمال ضمير المتكلم في التفويض والإهداء والشكر والتقدير فقط.

17. **الحواشي**

تفصل هذه الملاحظات عن المتن بخط طوله 3.5سم (أو حسب ما يحدده برنامج الكمبيوتر) ويقع الخط أسفل المتن بمقدار مسافتين في وسط الصفحة، وتبدأ كتابة الملاحظة على بعد مسافتين من الخط.

18. **ترقيم الصفحات:**

تستخدم الأرقام اللاتينية لترقيم الصفحات التمهيدية عند الكتابة باللغة الانجليزية ( مثل ... ,I. II ) وتستخدم الحروف العربية الأبجدية مثل ( أ، ب، ج، ... ) لترقيم الصفحات التمهيدية في حالة الكتابة بالعربية، ويبدأ الترقيم باستخدام الأرقام بعد الصفحات التمهيدية، ويوضع الرقم أو الرمز

في وسط أسفل الصفحة ولا يظهر الرقم على صفحة العنوان وصفحة التوقيع.

| **الأرقـــام اللاتينية** | i | ii | iii | iv | v | vi | vii | viii | ix | x | xi | xii | xiii | xv |
|---|---|---|---|---|---|---|---|---|---|---|---|---|---|---|
| الارقـــام بالعربية | 1 | 2 | 3 | 4 | 5 | 6 | 7 | 8 | 9 | 10 | 11 | 12 | 13 | 15 |

## ملاحظات حول اسلوب كتابة مشروع التخرج

ان مشاريع التخرج في جامعتنا تكتب جميعها باللغة الانكليزية ، الا في بعض الحالات الاستثنائية ، وهنا يقوم القسم المشرف باصدار التعليمات المحددة الخاصة بذلك ، وعليه فان استعراضنا في دليلنا هذا يشمل الكتابة باللغة الانكليزية والكتابة باللغة العربية ، حيث نجد عدم وجود فوارق كبيرة من حيث متطلبات البحث العلمي .

ويعد استخدام اسلوب كتابة ملائم ومتناسق من اهم متطلبات كتابة مشاريع التخرج، خاصة ونحن في جامعة الاميرة سمية قد خصصنا مقررا كاملا حول اسلوب وتقنية الكتابة . لاننا نجد بان نتائج البحث لمشروع التخرج سوف لن تكون ذات جدوى مهما بلغت درجة دقتها وقيمتها العلمية مالم يتم عرضها بشكل واضح ومفهوم ومؤثر ومشوق . ان اهم اهداف مشروع التخرج هو عرض الطرق والافكار والنتائج الخاصة بالبحث المنظم ، عرضا موضوعيا ومنطقيا وواضحا ومدعما بالتحليل العلمي والادلة والبراهين .

ان على الطالب الذي يعد مشروع تخرجه ان ياخذ بنظر الاعتبار اولئك الذين سوف يدققون كتابته من مشرفين و مقييمين علميين وزملائه الطلبة ، وهذا يعني تعرض مشروعه الى النقد والتمحيص بدقة عالية ، وانسجام ذلك مع الشروط العلمية لمشروع التخرج . وعليه لابد من تاكيد بعض الملاحظات التي قد يكون هناك تكرار في ذكرها :

- ترتيب المادة البحثية لمشروع التخرج وفق اسس سليمة وتسلسل منطقي يتفق ومتطلبات تعليمات اعداد مشروع التخرج .
- ضرورة كتابة مسودة اولية للمادة البحثية لمشروع التخرج ، يتم تنقيحها وتعديلها مع مراحل اعداد مشروع التخرج ضمن فترته المحدده ، الى ان ينجز الطالب بحثه . ثم يبدء باعتماد المسودة

النهائية للمقدمة او الملخص بعد ان ينتهي من باقي الاجـزاء الخاصـة بـالمشروع كما اشرنا .

- وضع عنوان دقيق لكل جزء وفصل من فصـول مشروع التخـرج ، بحيـث يكـون هذا العنوان معبرا عن فحوى الجـزء او الفصـل . وتكـون كـل فقـرة مكتوبـة في الفصل والجزء مكتملة من الناحية الفكريـة والعلميـة واللغويـة ومتناسـقة مـع الفقرات التي قبلها او بعدها، ومنسجمة ومعبرة لفحوى عنوانها .
- تذكر دائما عند كتابة الارقام في المتن او النص ، فبالنسبة للارقـام التـي تقـل عـن المائة او الارقام المقربـة او الارقـام التـي تـاتي في بدايـة الجملـة ، تكـون كتابتهـا بصورة هجائية ، وكذلك تكتب الكسور هجائيا ، الا في حالة كونها جزءاً من رقـم اكبر . اما الارقام المتتابعة فتـتم كتابتهـا حسـابيا . وتسـتثنى مـن هـذه القاعـدة الاشارة الى الفصول او الجداول او الاشـكال او الملاحـق، فتكتـب ارقامهـا بشـكل حسابي حسب ورودها في مشروع التخرج.
- من الضروري الكتابـة بإسـلوب بسـيط وواضـح (simple and clear) بـدلا مـن استخدام الجملة المطولة ، وان يـتم التعريـف بـأي مصـطلحات يسـتعان بهـا في النص .
- من المهم التوازن والتناسق بين الفصول من حيث عدد الصفحات كلما كان ذلك ممكنا ، بحيث لايكون هناك فصل من ثلاثون صفحة واخر من خمس صـفحات .
- لاحظ ضرورة ان لا تحتوي مشاريع التخرج على أي اخطاء املائية او لغويـة ، ويجـب الاسـتعانة بالقـاموس المـدقق اللغـوي . كـما

لايجوز استخدام المختصرات دون ذكر ذلك في المصطلحات ، وكل ذلك سيكون جزءاً من تقييم مشروع التخرج.

- يجب ان تنظم محتويات مشروع التخرج بتقسيمه الى فصول والذي هو عبارة عن تجميع للافكار والمعلومات التي تمت بصلة لفكرة عنوان الفصل وبوضوح تام ، ومن الضروري ان يبدأ كل فصل بمقدمة مختصرة لاتزيد عن خمسون كلمة .ويقسم الفصل الى اجزاء مترابطة تخصص لها عناوين فرعية تعبر بوضوح عن محتواها ، وتكون هذه العناوين الفرعية متناسقة من حيث الصيغة ، ويفضّل ترقيم العناوين الفرعية باستخدام النظام العشري في الترقيم مثل :

(1.1 ثم 1.2 ثم 1.3 ، ثم 1.4 وهكذا ) .

ويمكن ايضا ترقيم العناوين تحت الفرعية بنفس الطريقة ولكن بزيادة الفواصل مثل:

(1.1.1 ثم 1.1.2 ثم 1.1.3 ، ثم 1.1.4 وهكذا ) .

اما الفصول فترقم حسب تتابعها ويوضح عنوان الفصل الموضوع الذي يتناوله ويكتب بالاحرف الكبيرة في حين لاتكتب العناوين الفرعية بالاحرف الكبيرة .ويشار الى عناوين الفصل والعناوين الفرعية في قائمة المحتويات .

## محتويات مشروع التخرج

يتكون مشروع التخرج من أربعة أجزاء تأتي حسب الترتيب التالي:

**الجزء الأول:** الصفحات الأولى(التمهيدية) التي تسبق فصول أو اقسام مشروع التخرج.

**الجزء الثاني:** فصول أو اجزاء تقرير مشروع التخرج .

**الجزء الثالث:** قائمة المراجع .

**الجزء الرابع:** قائمة الملاحق.

**الجزء الخامس:** الصفحات الأخيرة .

وفيما يلي تعريف بكل جزء من هذه الأجزاء.

**الجزء الاول : الصفحات الأولى من مشروع التخرج**

نستعرض في هذا الجزء الاسلوب الذي نقترحه لتصميم مشروع التخرج باللغتين العربية أو الانكليزية ، والامر متروك للطالب والمشرف وفق تعليمات الجامعة طبعا ، مع الاشارة ان الجامعات تختلف في تصميم مواصفات مشاريع التخرج كل حسب الطريقة التي يختارها رغم وجود ثوابت مشتركة لاغلب جامعات البلد الواحد ، وهنا سنأخذ بالمواصفات الاكثرها استخداما في جامعاتنا العربية ، وبما ينسجم ومستوى اعداد مشاريع التخرج :

**اولا :** تتكون الصفحات الأولى من مشروع التخرج عند الكتابة باللغة العربية :

- صفحة العنوان ( الغلاف الخارجي) .
- صفحة العنوان ( الغلاف الداخلي) وتتطابق مع محتويات الغلاف الخارجي.

- صفحة تفويض الجامعة باستنساخ مشروع التخرج أو أي جزء منه.
- صفحة إجازة مشروع التخرج.
- صفحة الإهداء ( اختياري).
- صفحة الشكر والتقدير.
- صفحة المحتويات
- صفحة قائمة الجداول.
- صفحة قائمة الأشكال.
- صفحة فهرست الملاحق .
- صفحة المصطلحات .
- صفحات الخلاصة (توضع نسخة باللغة الانكليزية نهاية مشروع التخرج ).

**ثانيا :** تتكون الصفحات الأولى من مشروع التخرج عند الكتابة باللغة الانكليزية:

- صفحة العنوان ( الغلاف الخارجي) .
- صفحة العنوان ( الغلاف الداخلي) وتتطابق مع محتويات الغلاف الخارجي.
- صفحة تفويض الجامعة باستنساخ مشروع التخرج أو أي جزء منه.
- صفحة إجازة مشروع التخرج.
- قائمة المصطلحات .
- صفحات الخلاصة الرئيسية (Executive Summary) توضع نسخة باللغة العربية نهاية مشروع التخرج .
- صفحة الشكر والتقدير.
- صفحة المحتويات
- صفحة قائمة الجداول.

- صفحة قائمة الأشكال.
- صفحة فهرست الملاحق.

أ. **صفحة العنوان ( الغلاف )** : ومن أهم ما تحتوي عليه:

1. عنوان مشروع التخرج كما أقر من القسم . على سبيل المثال :

Enhancing Services and Information System in Jordan River Foundation.

2. اسم الطالب كما هو مسجل رسميا في الجامعة. على سبيل المثال :

The name of student (as registered at the university)

3. اسم المشرف

The name of supervisor

- **ثم العبارة الآتية:**

قدم هذا المشروع استكمالاً لمتطلبات الحصول على درجة البكالوريوس في ......................(يذكر التخصص)

This graduation project was submitted in partial fulfillment of the requirements for the Bachelor's degree in.......

- **ثم الشهر والسنة الذي نوقش فيها مشروع التخرج.**

**ملاحظة :لمزيد من التوضيح أنظر إلى النموذج رقم (1).**

نموذج رقم (1)

صفحة غلاف مشروع التخرج باللغة الانكليزية

King Talal School of Business

Management Information System Department

**Enhancing Services and Information System in Jordan River Foundation**

BY

Ased Barouq

Farah Batainah

Latifa Waleed

Zaidoon Al-Kurdi

SUPERVISOR

Dr. Mohammed Shahateet

This graduation project was submitted in partial fulfillment of the requirements for the Bachelor's Degree in MIS.

June,2011

صفحة غلاف مشروع التخرج باللغة العربية

كلية الملك طلال للاعمال

قسم نظم المعلومات الادارية

تصميم برنامج إلكتروني لتسويق الكتب الجامعية المقررة

إعداد

ندى هاشم عليان

وفاء عبد الرزاق العابد

إشراف

الدكتور محمود مقدادي

قدم هذا المشروع استكمالاً لمتطلبات الحصول على درجة البكالوريوس في نظم المعلومات الادارية .

أيار، 2008

ب. **صفحة التفويض،** وعليها نموذج التفويض المبين أدناه ( أنظر نموذج رقم 2).

**نموذج رقم (2)**

**نموذج التفويض**

**نموذج التفويض**

أنا .......... ، أفوض جامعة الاميرة سمية للتكنلوجيا – كلية الملك طلال للاعمال بتزويد نسخ من مشروع تخرجي للمكتبات أو المؤسسات أو الهيئات أو الأشخاص عند طلبها.

التوقيع :

التاريخ :

**Authorization Form**

I am, ........... , authorize Princes Sumaya University for Technology - King Talal School of Business to supply copies of my graduation project to libraries or establishments or individuals on request.

Signature:

Date :

**ج. صفحة قرار لجنة المناقشة :** ويكتب فيها ما يلي:

تتضمن صفحة إجازة مشروع التخرج عنوان المشروع، وعبارة تدل على مناقشة المشروع وإجازته، وتاريخ الإجازة، ثم أسماء أعضاء لجنة المناقشة وتواقيعهم، على النحو التالي:

1. في حالة الكتابة باللغة الانجليزية ( أنظر نموذج رقم 3 ) .

**نموذج رقم (3)**

**صفحة قرار لجنة المناقشة باللغة الإنكليزية**

**Committee Decision**

**This Graduation project (Interactive Mobile and Computer Aided Learning) was successfully defended and approved on ----/------/-----**

| <u>**Examination Committee**</u> | <u>**Signature**</u> |
| --- | --- |
| Dr………………., Supervisor. | |
| Dr………………., Member | |
| Dr. ……………..., Member. | |

2. في حالة الكتابة باللغة العربية.

**صفحة قرار لجنة المناقشة باللغة العربية**

**قرار لجنة المناقشة**

**نوقش هذا المشروع وعنوانه (                    ) وأجيز بتاريخ ....../......../......**

| **أعضاء لجنة المناقشة** | **التوقيع** |
| --- | --- |
| الدكتور ............، المشرف. | |
| الدكتور ................، عضواً . | |
| الدكتور ............ ، عضواً . | |

### د. صفحة الشكر AKNOWLEDGEMENTS

تحتوي هذه الصفحة على الشكر لكل من قدّم المساعدة والعون للطالب بدءاً بالأستاذ المشرف ، والقسم والأساتذة والمؤسسات التي قدمت المشورة مهما كانت النصيحة بسيطة. كما يتوجه الطالب بالشكر إلى الذين شاركوا بالدراسة أي الأفراد الذين أجريت عليهم الدراسة، وجميع الذين قاموا بتحكيم أدوات البحث. وقد يكون من اللياقة تقديم الشكر إلى لجنة المناقشة، وإلى كل من ساهم في إنتاج مشروع التخرج، كالمحرر اللغوي، ومن ساعد في تحليل البيانات إحصائياً، ومن قام بطباعة مشروع التخرج. وتكون عبارات الشكر صادقة ورصينة دون إطناب أو مبالغة، كما في الصفحة التالية:

**نموذج رقم (4)**

**صفحة الشكر والتقدير باللغة العربية**

**شكر وتقدير**

أشكر الله سبحانه وتعالى الذي ألهمني الطموح وسدد خطاي.

وأتقدم بجزيل الشكر والعرفان للأستاذ الدكتور .................................. الذي أشرف على هذا العمل ولم يبخل بجهد أو نصيحة وكان مثالاً للعالم المتواضع. كما أشكر الأستاذ الدكتور .............................. الذي أبدى الكثير من النصح حول المعالجة الإحصائية.

كما أشكر الأساتذة الكرام أعضاء لجنة المناقشة (تذكر أسماؤهم) على تفضلهم بقبول مناقشة هذه المشروع. ولا يفوتني أن أشكر السيد ................................ الذي ساعدني في التحليل الإحصائي، والآنسة ......................... لتحملها مشاق طباعة مشروع التخرج والتعديلات الكثيرة المتكررة عليها، وشكري وامتناني إلى الأستاذ ........................ الذي قضى من وقته في المراجعة اللغوية لمشروع التخرج.

**الباحث**

وبنفس الطريقة باللغة الانكليزية :

صفحة الشكر والتقدير باللغة الانكليزية

## AKNOWLEDGEMENTS

**At the beginning we would like to thank ALLAH for showing us the right way that we went through that made us achieve our goals in preparing our graduation project,and successfully finishing this level of education.**
**Appreciation is due to Dr……….,for his continued support and guidance during the research…..**

**Thanks are also due to Mr……..,for advice and assistance in analyzing some statistical parts of our work.**
**Thanks are due to the following heads of colleges and other instituations for cooperation in the testing programme.**
**Dr……, Mr…………, Mrs……………..**

**Thanks are also due to all parents and students taking part in the study.**

### هـ. فهرس المحتويات (مشروع التخرج) TABLE OF CONTENTS

تسهّل صفحة فهرست المحتويات على القارئ عملية الوصول إلى المعلومات في مشروع التخرج . وتذكر أن ترقيم جميع الصفحات التي تسبق متن مشروع التخرج بالحروف الأبجدية (أ، ب، ج، ... الخ). بينما ترقم صفحات المتن بدءاً من الصفحة الأولى (1، 2، 3، 4، .... الخ). ويجب ملاحظة :

1- ضرورة تطابق جدول المحتويات مع ماهو موجود داخل المتن.

2- تطبع كلمة جدول المحتويات في منتصف اعلى الصفحة بعد ترك فراغ واحد من الاعلى .

3- تترك ثلاث مسافات لبداية كل عنوان لكل مستوى عن المستوى السابق.

4- يجب ان تطبع العناوين التي تحتاج اكثر من سطر بحيث يكون السطر الاطول اولا.

5- ترقم صفحة قائمة المحتويات بالحروف الابجدية او رقما لاتينيا اذا كان البحث باللغة الانكليزية.

وفيما ياتي نماذج باللغتين العربية والانكليزية :

1 - في حالة الكتابة باللغة العربية ( أنظر نموذج رقم 5 )

**نموذج رقم (5)**

**فهرس المحتويات باللغة العربية**


| الموضوع | الصفحة |
| --- | --- |
| التفويض........................................................... | ب |
| قرار لجنة المناقشة ............................................... | ج |
| الإهداء ( أن وجد ) .............................................. | د |
| شكر وتقدير ........................................................ | هـ |
| فهرس المحتويات ................................................. | و |
| قائمة الجداول ...................................................... | ز |
| قائمة الأشكال والصور .......................................... | ح |
| قائمة الملاحق ....................................................... | ط |
| قائمة المصطلحات................................................. | ي |
| الخلاصة ............................................................... | ك |
| المقدمة ................................................................. | 1 |
| الفصل الاول ......................................................... | 8 |
| الفصل الثاني ......................................................... | 25 |
| الفصل الثالث ......................................................... | 35 |
| الفصل الرابع.......................................................... | 50 |
| الاستنتاجات والتوصيات ......................................... | 55 |
| المراجع والمصادر ................................................. | 58 |
| الملاحق ................................................................ | 70 |
| الخلاصة باللغة الإنكليزية (الأخرى)............................ | 100 |

2. في حالة الكتابة باللغة الإنجليزية

**فهرس المحتويات باللغة الإنكليزية**

**Contents** | **Page No.**


| Contents | Page No. |
|---|---|
| Athoursation .................................................... | ii |
| Committee Decision ........................................... | iii |
| List of Abbreviation ............................................ | iv |
| Excutive Summary ............................................ | v |
| Acknowledgements .............................................. | vi |
| List of Contents ................................................ | vii |
| List ofTables .................................................... | viii |
| List of Figures and Plates .................................. | ix |
| List of Appendices ............................................. | x |
| Chapter 1.......................................................... | 1 |
| Chapter 2.......................................................... | 8 |
| Chapter 3.......................................................... | 25 |
| Chapter 4 .......................................................... | 35 |
| Chapter 5.......................................................... | 50 |
| Conclusions and Recommendations ........................ | 55 |
| References ....................................................... | 58 |
| Appendices ...................................................... | 70 |
| Abstract (in Arabic language) .............................. | 100 |


ملاحظة: وقد يكون لبعض التخصصات خصوصية في فهرست المحتويات، حيث يتم تحديد الترتيب والشروط وفق وجهة نظر الجامعة وسياقاتها، ونحن هنا نعطي أهمية (Excutive Summry) لتكون أكثر شمولية وتوضيحاً من الخلاصة الاعتيادية (Abstract) في حين تشترط بعض الجامعات أن تكون الخلاصة اعتيادية ومبسطة.

### و. قائمة الجداول LIST OF TABLES

تعد الجداول من أفضل السبل لتلخيص كمية كبيرة من المعلومات في أصغر مساحة مقروءة محددة. لذلك تنظم الجداول بطريقة مفهومة بحيث يستطيع القارئ استيعابها بسهولة. وتأخذ الجداول أرقاماً متسلسلة في مشروع التخرج كله، وقد تاخذ ترقيما حسب الفصل.كما يجب ان تتطابق معلومات فهرست المحتويات مع ماهو موجود في متن الرسالة او مشروع التخرج.

ثم تاخذ صفحة قائمة الجداول ارقاماً بالحروف الابجدية او رقما لاتينيا اذا كان البحث باللغة الانكليزية. ( أنظر نموذج رقم 6 ).

**وتوضح قائمة الجداول على النحو التالي:**

**نموذج رقم (6)**

**صفحة قائمة الجداول باللغة العربية**

**قائمة الجداول**


| الرقم | عنوان الجدول | الصفحة |
|---|---|---|
| 1 | اعداد الموظفين في بعض الشركات العالمية | 14 |
| 2 | عدد الركاب القادمون والمغادرون لبعض المطارات العالمية | 20 |
| 3 | صافي ارباح بعض شركات الطيران العالمية بالدولار الامريكي | 34 |
| 4 | اعداد المسافرين على المستوى العالمي بشكل عام ولبعض الدول بشكل خاص للمدة 1990-1999 | 55 |
| 5 | إنخفاض اسعار الاسهم على شركات الطيران العالمية لعام 2001 م | 67 |
| 6 | اعداد الموظفين المسرحين في بعض شركات الطيران | 77 |
| 7 | تطور نقل الاشخاص للمدة 1964-1983 | 91 |

صفحة قائمة الجداول باللغة الانكليزية

## List of Tables **Page No.**

Table 1.1: Types of data commonly taken on WHP cruises and what happens to them ...........4

Table 1.2: Target planning timetable for WHP data ............... 6

Table 2.1: Approximate water volume requirements for measurements drawn from smallvolume water samplers ........................................ 14

Table 2.2: Suggested small volume sample drawing sequence . 15

Table 2.3: SI units and standard abbreviations . . . . . . . . . . . . . . 18

Table 2.4: Prefixes for SI units . . . . . . .. . . . . . . . . . . . . . . . . . . 19

Table 2.5: WHP one-time survey standards for water samples . 20

Table 2.6: WHP one-time survey standards for CTD measurements. ......................................... 21

Table 3.1: Cruise plan outline. . . . . . . . . . . . . . . . . . . . . . . . . . . .. 24

## ز. قائمة الأشكال LIST OF FIGURES

تظهر قائمة الأشكال على النحو التالي مع الأخذ بالاعتبار أن الأشكال تأخذ أرقاماً متسلسلة في مشروع التخرج كله، وتنطبق عليها نفس ملاحظات فهرست الجداول. ( أنظر نموذج رقم 7 )

**( نموذج رقم 7 )**

**صفحة قائمة الاشكال باللغة العربية**

**قائمة الأشكال**

| الرقم | عنوان الشكل | الصفحة |
|---|---|---|
| 1 | هيكل الامانة العامة للايكادو وكما هو عليه في مايو 2004 م | 10 |
| 2 | نمو حركة الطيران في تموز 2006 م | 23 |
| 3 | نمو حركة المسافرين للمدة 1990 -2005م | 27 |
| 4 | معدل الانضباط في تشغيل الرحلات في المملكة العربية السعودية خلال المدة 1993 – 2002م | 36 |

**صفحة قائمة الاشكال باللغة الانكليزية**

**List of Figures** **Page N.**


Figure 2.1: Large volume sample drawing sequence. .. . . . . 16
Figure 3.1: The A11 cruise track defined by CTD/rosette stations.......................................................... . 95
Figure 3.2: Location of 10 liter water samples collected on A11........................................................ . . . 97

ح. قائمة الملاحق **List of Appendices**

تظهر قائمة الملاحق على نحو مشابه تماما لقائمة الجداول والاشكال وينطبق عليها ماينطبق عليهم. انظر النموذج رقم (8)

ملاحظة: لا تنسى أن إستمارات الإستبيان (Quastionare) توضع في الملاحق وليس في المتن.

**( نموذج رقم 8 )**

**صفحة قائمة الملاحق**

**قائمة الملاحق**

| رقم الملحق | عنوان الملحق | الصفحة |
|---|---|---|
| 1 | إستمارة إستبيان البحث. | 80 |
| 2 | قانون تأسيس الشركة | 83 |
| 3 | خريطة الهيكل الإداري للشركة | 88 |
| 4 | قرار تأسيس الشركة | 90 |

## ط. قائمة المصطلحات أو الاختصارات أو الرموز

**List of Abbreviations or Symbols**

توضع الاختصارات بقائمة يتم من خلالها التعريف باسم يعرف بمختصره ، وتصاغ المصطلحات بالشكل القياسي والعلمي المتعارف عليه، وترتب أبجدياً في جدول يوضح شرحها وتعرض أما في مقدمة المشروع أو مع القوائم أو مع الملحق حسب توجيهات المشرف، إلا أننا نفضلها في مقدمة مشروع التخرج.

وعلى الرغم من اهمية ذلك ، الا اننا نجد من الاهمية كتابة الاسم بشكل كامل للتعريف به بشكل مقبول .وفيما يلي نموذج رقم 9 باللغة الانكليزية :

( نموذج رقم9 )

**Abbreviations**

| | |
|---|---|
| DFD | Data Flow Diagram |
| E-charity | Electronic charity |
| E-mail | Electronic email |
| ERD | Entity Relationship Diagram |
| ID | Identity Description. |
| NPV | Net Present Value |
| ROI | Return on investment |
| SDLC | System Development Life Cycle |

### ي. الخلاصة الرئيسية Excutive Smmary

الخلاصة تلخص مشروع التخرج بصورة مختصرة ودقيقة تمكن القاريء وبسرعة من تكوين فكرة عن بحث المشروع . لذلك فان دقة صياغتها لأهم وابرز الافكار والمعلومات التي احتواها البحث بشكل متكامل، يعتبر من الأمور المهمة لذلك فهي اختصار لكم كبير من الجمل والافكار وبلغة سهلة ومفهومة وبسيطة تركز على الغاية من كتابة مشروع التخرج والفكرة الرئيسية لذلك أو المشكلة المبحوثة ، وماهي النقطة التي ركز عليها والتي بحثها وحاول كشفها وناقشها ، والنتيجة التي توصل إليها وعدد الفصول التي استعرضها .

**ولابد من ملاحظة** أن هناك نسب تحدد حجم الخلاصة إلى حجم مشروع التخرج، وهذا يعود إلى اختيار وتعليمات الجامعة أو الكلية. فبعضها يحدد الخلاصة بما لا يزيد 175-200 كلمة، وبعضها يحددها بنسبة 1% من حجم كتابة المشروع، والبعض الآخر يحددها بما لا يزيد مجموع كلماتها عن 700 كلمة وغير ذلك.

أما نحن فنفضل استخدام كلمات الخلاصة بما لا يزيد عددها عن 175-200 كلمة. أنظر النموذج رقم 10.

## نموذج رقم (10)

## صفحة الخلاصة باللغة الانكليزية

### Executive Summary


According to official statistics; number of internet users is increasing globally around the world and specifically in Jordan, this resulted that new online systems are continuously being developed and created in which users can save cost, time and effort by finding easier ways to run their businesses.

Charity work aims to help poor and needy people without waiting for something in return, but on the other hand studies proved that it enhances volunteers' personalities and develops the community in general. The idea behind E-charity system is to facilitate, support and improve charity work in Jordan in a nice and easy way that implements the concept of Social Network.

The significance of such project, and the base we build our interest in implementing such system is because we noticed that awareness of how important charity work is weak and is left behind, thus; we decided to provide a way which will make charity activities very tempting, exciting and organized to link more volunteers and donators with charities to participate in the posted activities.

The e-charity system was developed according to the System Development Life Cycle (SDLC) in four basic phases (planning, analysis, designing and implementing) in a way that covers details to build the system easily and accurately in the future.

صفحة الخلاصة(باللغة العربية)


الخلاصة

في ظل ثورة المعلومات زاد عدد التطبيقات الالكترونية التي تساعد المستخدمين على توفير الوقت والتكاليف والجهد لتسهيل وتطوير إدارة وممارسه أعمالهم ومشاريعهم. حيث اظهرت الدراساتال رسمية لدائرة الاحصاءت العامة في الاردن أن عدد مستخدمي الانترنت في في العالم ككل و في الاردن خاصة يتزايد بشكل مستمر.

ان الأعمال الخيريه تهدف لمساعدة المحتاجين والفقراء دون مقابل، الى جانب ذلك فقد أثبتت الدراسات العالميه بأنها تبلور شخصية المتبرع الى الافضل وتساهم في تنمية وتطور المجتمع. من هنا جاءت فكرة الباحثين في تصميم مشروع التخرج لبناء نظام الالكتروني للأعمال الخيريه من اجل تسهيل ودعم وتطوير العمل الخيري في الاردن.

وتكمن أهمية هذا المشروع والفكرة التي بني على اساسها في ضعف الاهتمام بأهمية العمل الخيري. لذلك اردنا أن نجعل من النشاطات الخيريه أكثر حماساً وتنظيماً للوصول لأكبر عدد من المتطوعين والمتبرعين للمشاركه في الأنشطة الخيرية المقترحة من الجمعيات المعنية.

النظام الالكتروني للاعمال الخيريه بني حسب المراحل الأربعة الأساسيه المتبعة لبناء أي نظام إلكتروني وهي التخطيط، التحليل، التصميم والتطبيق بالاضافه إلى التفاصيل الضروريه لبناء نظام نهائي فعال بطريقة سهله وصحيحة مستقبلاً.حيث تم تناول ذلك عبر ستة فصول اختتمت بالاستنتاجات والتوصيات .

### ك. الفصل الأول:- المقدمة (Introduction)

يبدأ الفصل الأول بكلمة المقدمة ( **Introduction**) وتكون في وسط سطر الصفحة. وبعد ذلك تكتب المقدمة في بداية سطر جديد، ، وتشتمل المقدمة وصفا محددا وموجزاً لمشكلة ومبررات وأهمية موضوع مشروع التخرج وأهداف البحث ومجتمع البحث وعينتها وأدواتها وطرق تحليل البيانات وتلخيصا للنتائج والاستنتاجات الرئيسة والإطار النظري للبحث لما احتواه من فصول، ولا تشمل المقدمة على أية أشكال أو جداول (أنظر نموذج رقم 10 ).

**ولابد من ملاحظة هو ان** بعض مشاريع التخرج تعتبر المقدمة جزء من الفصل الأول ويتم ذلك حسب تعليمات الجامعة أو الكلية.

**نموذج رقم (11)**

**صفحة المقدمة باللغة الانكليزية**

**Chapter one:**

**Introduction**

**Overview**

Tourism in Jordan is one of the most important sectors in the economy. The BCD Travel is a leading provider of global corporate travel management. BCD Travel simplifies and streamlines the business of travel benefiting its clients organization on every level : from the bottom – line to the business traveler. BCD travel operates in more than ninty countries on six continents,with $12 billion in total sales and……etc.

**Objective**

Following are the objectives of this project :

To develop a system……………etc.

**Methodology**

We will use the following to achieve our goals :

-Regular will use to the company.

- Interviews with……etc.

**أما المقدمة في حالة كتابة مشروع التخرج باللغة العربية فانها تتناول نفس ماذكرناه عند الكتابة باللغة الانكليزية .**

**صفحة المقدمة (باللغة العربية)**

**المقدمة**

تشكل الوحدات المحلية ركيزة أساسية في التنظيم الإداري لكافة الدول في العالم ، حيث شهدت تطورات متلاحقة منذ نشأتها لتواجه متطلبات المواطنين المتزايدة كماً ونوعاً ، تماشياً والتقدم السريع الذي شهده العالم من خلال ثورة المعلومات والتكنلوجيا وتقدم الاتصالات وظهور خدمات جديدة .... الخ.

**مشكلة البحث :**

قامت الحكومة الأردنية بتبني استراتيجية الإصلاح الإداري والبناء التنظيمي ، المتمثلة في عملية دمج البلديات من أجل تطوير أدائها...الخ.

**أهداف البحث :**

تتمثل اهداف البحث بشكل عام إلى التعرف على أثر دمج البلديات في المملكة الأردنية الهاشمية في تطوير أدائها ....الخ.

لقد اشتمل هذا البحث على مقدمة وأربعة فصول ، حيث تناول الفصل الأول....الخ.

لقد اشتمل هذا لبحث على مقدمة واربعة فصول ، تناول الفصل الاول موضوع .....الخ .

## الجزء الثاني: المتن (فصول مشروع التخرج )

يبدأ ألمتن بالفصول وينتهي بالاستنتاجات أو التوصيات وتختلف عناوين المتن باختلاف موضوع مشروع التخرج ومنهجيته.

وممكن ان نورد توضيح لمحتويات المتن :

### اولا : فصول المتن

#### 1- الفصل الاول : الإطار النظري

**Review of Related Literature**

يشتمل هذا الفصل على:

الإطار النظري للدراسة و يتضمن المعلومات النظرية ذات الصلة بالدراسة بحيث تفيد البحث، كذلك ليتضمن الدراسات السابقة وأحياناً نبدأ بخلفية الدراسة وأهميتها وأهدافها في حالة عدم ذكر ذلك في المقدمة.

ملاحظة: قد يكون الفصل الأول المقدمة والإطار النظري الفصل الثاني، إن ذلك يتبع حسب اختيار الجامعة أو الكلية لخطط بحثها.

#### 2- الفصل الثاني : الطريقة والإجراءات

**Method and Procedures**

يشتمل هذا الفصل على العناوين التالية :

أ- مجتمع الدراسة والعينة (وطريقة اختيارها)

ب- أدوات الدراسة، وتتناول:

- المواد التي استخدمت في تنفيذ الدراسة مثل: المواد التعليمية أو البرامج (خصوصاً في الدراسات التجريبية) وطبيعة المعالجة التجريبية.

- أدوات أو وسائل جمع البيانات من اختبارات أو استبيانات أو ملاحظات، أو مقابلات، وغيرها. وفي الدراسات الكمية يجب وصف الاختبار، وذكر مؤشرات صدق الأدوات المستخدمة وثباتها، وكيف تم التحقق من ذلك. كما يجب ذكر كيفية تصحيح الاختبارات ، أو استخراج الدرجات لكل متغير من متغيرات الدراسة حسب أدواتها المستخدمة.

ج- إجراءات الدراسة

يوضح هذا الجزء الخطوات الإجرائية التي اتبعها الباحث - بتسلسل زمني - في تنفيذ الدراسة وتطبيقها،

د- تصميم الدراسة والمعالجة الإحصائية

يذكر في هذا البند متغيرات الدراسة وهي : المتغيرات المستقلة ومستوياتها (إن وجدت) والمتغيرات التابعة. كما يذكر تصميم الدراسة (إن وجد) وبخاصة في الدراسات التجريبية. ويذكر الباحث في هذا البند المعالجة الإحصائية للبيانات المتجمعة، وكيفية الإجابة عن أسئلة الدراسة، واختبار فرضياتها حسب مقتضيات البحث.

**3- الفصل الثالث : عرض النتائج وتحليل ما توصلت إليه الدراسة Results**

يشتمل هذا الفصل على عرض النتائج التي توصل إليها الباحث ووصفها من خلال سرد واضح، وعلى جداول وأشكال أو رسومات توضيحية حسب ما تتطلبه النتائج، وفي البحث النوعي يستخدم الباحث الألفاظ والكلمات التي استخدمها المشاركون في الدراسة بصورة انتقائية وموضوعية لتدعم مصداقية الباحث وعدم تحيزه.

**4- الفصل الرابع : الاستنتاجات والتوصيات**

**Recommendations**

يتناول هذا الفصل ملخصاً لاستنتاجات الباحث على شكل نقاط، مستنبطة من فصول مشروع التخرج ثم تنبثق التوصيات من نتائج الدراسة. ولا بد للباحث

من أن يبرز توصياته بشكل واضح وجريء ومفهوم ليتسنى للقارئ استيعاب التوصيات التي تحاكي النتائج وأهداف البحث.

ملاحظة: يمكن أن تكون الدراسة من خمسة فصول، حيث لكل كلية أو جامعة شروطها وتعليماتها الخاصة بتنظيم مشروع التخرج.

**ثانيا : الجداول والاشكال**

يلي فصول مشروع التخرج قائمة المراجع ثم الملاحق، وترقم صفحات الجداول والملاحق بالأرقام، بالتسلسل الذي وردت فيه فصول مشروع التخرج .

أما الجداول والأشكال ان وجدت فتتخلل فصول مشروع التخرج. أما الجداول والبرامج الطويلة يفضل عدم وضعها في متن مشروع التخرج بل يتم وضعها في الملاحق.

**أ-الجداول Tables**

يراعى عند إعداد الجداول ما يلي:

1. يكون عنوان الجدول مختصراً وشاملاً ويوضع فوق الجدول ويعطى رقما متسلسلاً بشكل عام أو حسب كل فصل ويشار إلى مصدره ويكتب مصدر الجدول في ذيل الجدول كاملاً كما ذكر في قائمة المصادر. أما إذا كان من إعداد الباحث فنذكر عبارة (من إعداد الباحث).
2. الجدول وحدة متكاملة بذاته ولا يحتاج إلى قراءة ما في المتن لفهمه، ولذا يراعى أن يكون منظماً تنظيماً سهلاً وأن يحوي جميع المعلومات اللازمة لفهمه وإذا كان هناك أي اختصارات أو معلومات يحتاج لها القارئ لفهم الجدول فتورد في ملاحظة تحتية.
3. حدود الجدول هي حدود الحد المسموح به للطباعة في الصفحة الواحدة.

4. يوضع الجدول مباشرة بعد الصفحة التي يرد بها ذكره في المتن لأول مرة وإذا ذكرت أرقام أكثر من جدول في صفحة واحدة فترتب الجداول الواحد تلو الآخر بعد تلك الصفحة.

**وفيما يلي مثال على ذلك باللغة العربية والانكليزية ( أنظر نموذج رقم 12 ) :**

**نموذج رقم (12)**

**نموذج جدول باللغة الإنكليزية**

**Table 2.1 Domestic Water Supply by Governorate (MCM/a)**

| Year | Amman + Madaba | Zarqa Mafraq | Mafraq | Irbid + Jerash +Ajlun | Belqa | Karak | Tafilah | Ma'an + Aqaba | Total |
|---|---|---|---|---|---|---|---|---|---|
| 1985 | 52.6 | 9.4 | - | 16.1 | 2.6 | 4.4 | - | 8.0 | **93.0** |
| 1986 | 59.4 | 11.9 | 14.0 | 23.2 | 8.2 | 3.9 | 1.7 | 12.4 | **134.6** |
| 1987 | 68.2 | 12.6 | 11.6 | 27.8 | 9.1 | 4.8 | 1.8 | 14.5 | **150.6** |
| 1988 | 74.6 | 14.7 | 13.4 | 30.0 | 10.3 | 5.0 | 2.0 | 14.7 | **164.8** |
| 1989 | 73.1 | 17.1 | 13.3 | 30.2 | 13.1 | 5.7 | 2.3 | 15.5 | **170.2** |
| 1990 | 75.2 | 21.8 | 15.1 | 30.1 | 12.5 | 5.9 | 22 | 15.9 | **178.6** |

Source: Ministry of Planning, Amman, 1993.

**نموذج جدول باللغة العربية**

**جدول رقم (1 ) النسب المئوية للأراضي الجافة في الوطن العربي.**

| الدولة | صحراوية مجدبة | جافة | شبه جافة | مجدبة وجافة وشبه جافة | رطبة |
|---|---|---|---|---|---|
| المغرب | - | 27 | 53 | 80 | 20 |
| الجزائر | 50 | 38 | 9 | 97 | 3 |
| تونس | - | 75 | 14 | 89 | 11 |
| ليبيا | 75 | 23 | 2 | 100 | - |
| مصر | 86 | 14 | - | 100 | - |
| السودان | 24 | 34 | 34 | 92 | 8 |

المصدر: وزارة الزراعة، الكتاب السنوي 2005، عمان، 2006.

### ب-الأشكال والصور Figures and Illustrations

يراعى عند إعداد الأشكال والصور ما يلي:

1. تكون الأرقام وبيانات المحورين السيني والصادي أو أية كلمات مكتوبة على الرسم البياني واضحة وبحجم يمكن قراءته بسهولة.
2. يكون عنوان الرسم أو الصورة مختصراً شاملاً، ويوضع في أسفل الرسم أو الصورة، وينطبق عليه ميزات عنوان الرسالة/الأطروحة المذكورة أعلاه.
3. الحدود النهائية لأي رسم بياني أو شكل أو صورة هي حدود الجزء المطبوع من الصفحة فقط ولا تدخل الهوامش ضمن ذلك.
4. يمكن تضمين أكثر من صورة في صفحة واحدة أو نصف صفحة، مع مراعاة مساحة كل منها، وترتيبها بشكل منطقي.
5. يشار إلى الأجزاء المهمة من الصورة التي توضح ما يورد في الملاحظات التي تلي عنوان الشكل بأسهم واضحة أو أحرف على أن لا تغطي الأسهم أو الحروف مكونات ضرورية في الصورة.
6. يمكن أن تتضمن الأشكال صوراً ملونة في مشروع التخرج .

وفيما يلي مثال على ذلك ( أنظر نموذج رقم 12 )

## نموذج رقم (13)

### صفحة الأشكال

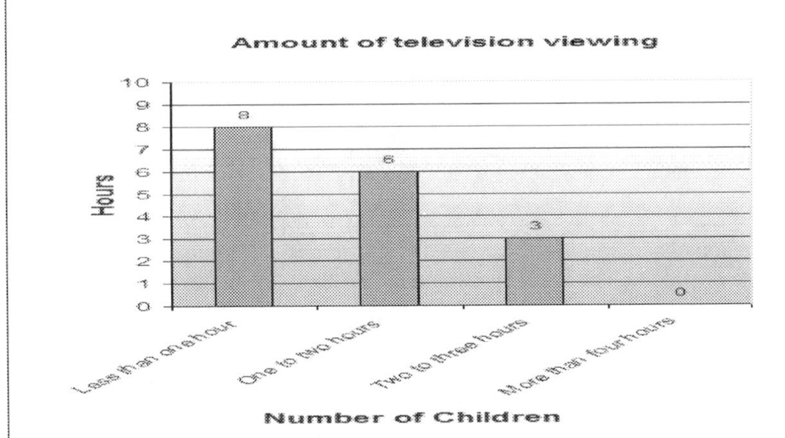


***Figure 1**: Average time spent by each child on various activities in one day*

### صفحة الصور

**Picturs 3:** Plate (Photo) 1. A Photo of Qantara Spring

## الجزء الثالث : المراجع والمصادر

**Documentation in References and Bibliography List**

تتضمن كافة المراجع التي استخدمها الباحث في مشروع التخرج من مقالات علمية وكتب مرتبة هجائيا ومكتوبة حسب طريقة التوثيق التي سنتبعها . وهناك العديد من طرق التوثيق لانستطيع تفضيل الواحدة عن الاخرى ، ولكن على الطالب الالتزام بطريقة واحدة دون الانتقال من واحدة الى اخرى في نفس مشروع التخرج .

وسنستعرض هنا اسلوبين من اساليب توثيق المراجع وهما :

اولا : **طريقة التوثيق وفق نظام جمعية علماء النفس الامريكية /النسخة الخامسة (APA)**

**Documentation Methods by American Psychological Association System.**

**وثانيا : نظام جامعة هارفرد**

**Documentation Methods by Harvard System**

وقد وجدنا ان هذين الاسلوبين الاكثر استخداما والاسهل فهما وتطبيقا لدى الطلبة ، ومثلما هو موضح أدناه حيث تم اختيار الحالات التي تتناسب مع مشاريع التخرج للطلبة . ويجب مراعاة مايأتي :

1. كتابة كلمة المراجع على صفحة جديدة في وسط السطر **Capitalized** بحروف كبيرة.
2. كتابة المراجع التي ورد ذكرها في مشروع التخرج فقط . ولا يجوز كتابة أي مرجع لم يرد ذكره في مشروع التخرج .
3. تكتب المراجع حسب ترتيب الحروف الهجائية للاسم الأخير للمؤلف" اسم العائلة ."وتبدأ الكتابة من أقصى الشمال إذا كان المرجع باللغة الإنجليزية، ومن أقصى اليمين في حالة كتابة المراجع بالعربية.

4. في الاقتباس ولكونه يمثل الانتاج العلمي والذي هو ملكية خاصة لمؤلفه مهما كانت نوعية بحثه ، لذا فان اي اقتباس يحتاج الى الالتزام بالقواعد التي تحكمه لكي يتصف البحث والباحث بالامانة العلمية . وهنا لابد من التاكيد على :

- يوضع ألاقتباس المباشر(كتابته نصا ) بين علامتي تنصيص (" ").
- في حالة الاقتباس غير المباشر ( كتابة وتلخيص مفهومه ) فيوثق المرجع بذكر (اسم العائلة ، سنة النشر).

وفيما يلي تفاصيل استخدام الاسلوبين :

**أولا : طريقة لتوثيق وفق نظام جمعية علماء النفس الامريكية /النسخة الخامسة .(APA)**

**Documentation Methods byAmerican Psychological Association System (APA).**

ث- **كتابة المراجع عند ورودها في النص أو المتن**

**Documentation in the text**

تثبت المراجع التي يعود اليها الطالب في مشروع تخرجه داخل النص او متن البحث ، وفي الغالب وفق الصيغة التالية :

( عائلة المؤلف ، سنة اصدار المرجع ، رقم الصفحة )

مثال باللغة العربية : ( البدور ، 2011 ، 12)

مثال باللغة الانكليزية : ( Al-Bdour ,2011,120 )

لاحظ هنا لانحتاج ذكر حرف ص باللغة العربية ، او .p باللغة الانكليزية .

ج- **كتابة المراجع عند ورودها في قائمة المراجع Documentation References**

1. إذا كان القرآن الكريم أحد المراجع فيوضع في صدر القائمة دون الالتزام بأي قاعدة أخرى هكذا:

عند استخدام القران في قائمة المراجع فنضع :

وضع لفظ القران الكريم (ثم فاصلة ،) اسم السورة ( ثم نقطة .)

مثال : القران الكريم ، سورة البقرة .

أما في المتن او داخل النص :

نضع بين قوسين اسم السورة ( ثم بفاصلة ، ) رقم الاية الكريمة التي رجع اليها

مثال : ( سورة البقرة ، اية 25 )

2. الانجيل الكريم

عند استخدام الانجيل في قائمة المراجع فنضع :

وضع لفظ الانجيل (ثم فاصلة ،) اسم الاسفار(ثم فاصلة ،) رقم الاصحاح (ثم نقطة.)

مثال : الانجيل ، 2 يوحنا 2 .

أما في المتن او داخل النص :

نضع بين قوسين اسم السفر ( ثم بفاصلة ،)رقم الاصحاح ( ثم نقطتين :) رقم الاية

مثال : ( 2 يوحنا 2 : 18)

### 3. توثيق الكتب ( Citing Books ) :

أ - في حالة وجود مؤلف واحد فيكتب المرجع كما ياتي :

ملاحظة ( ليس هناك فرق في الترتيب بين اللغة العربية او الانكليزية ) .

**مثال :**

| اسم العائلة (فاصلة ,) الاسم للمؤلف | سنة النشر بين قوسين | نقطة | عنوان الكتاب بخط غامق | نقطة | الدولة او المقاطعة | فاصلة | مكان او مدينة النشر | نقطتين شارحة | اسم الناشر | نقطة |
|---|---|---|---|---|---|---|---|---|---|---|

برير ، كامل (1996) . نظم الادارة المحلية . لبنان ، بيروت :المؤسسة الجامعية للكتب .

| Auther(family,name) | (year) | . | Book title Bold | . | country | , | Place of puplication (city) | : | publisher | . |
|---|---|---|---|---|---|---|---|---|---|---|

Gall, M. (1997) . Educational Research: An introduction . New York : Longman.

**لاحظ** : اذكر رقم الطبعة في حالة طبع الكتاب اكثر من طبعة واحدة

| Auther (family,name | (year) | . | Book title (Edition No). | . | country | , | Place of puplication (city) | : | publisher | . |
|---|---|---|---|---|---|---|---|---|---|---|
| اسم العائلة (فاصلة) الاسم للمؤلف | سنة النشر بين قوسين | نقطة | عنوان الكتاب + رقم الطبعة بين قوسين | نقطة | الدولة او المقاطعة | فاصلة | مكان او مدينة النشر | نقطتين شارحة | اسم الناشر | نقطة |

**مثال :**

**برير ، كامل (1996) . نظم الادارة المحلية (ط2) . لبنان ، بيروت :المؤسسة الجامعية للكتب .**

Gall, M. (1997) . *Educational research: An introduction* (4th *ed.*). New York : Longman.

علما ان التوثيق داخل النص يكون (برير ، 1996 ، 24) بالعربي ، و(Gall,1997,11) بالانكليزي .

**ب – في حالة وجود مؤلفان للكتاب فيكتب المرجع كما يلي :**

نفس السياق الاول سوى اضافة اسم العائلة واسم المؤلف الثاني .

| Auther(family,name ) , and scond auther (family,name) | (year) | . | Book title | . | country | , | Place of puplication (city) | : | publisher | . |
|---|---|---|---|---|---|---|---|---|---|---|
| اسم العائلة ، الاسم للمؤلف الاول ثم فاصلة مع حرف و واسم العائلة متبوعا بفاصلة ثم اسم المؤلف الثاني | سنة النشر بين قوسين | نقطة | عنوان الكتاب | نقطة | الدولة او المقاطعة | فاصلة | مكان او مدينة النشر | نقطتين شارحة | اسم الناشر | نقطة |

**مثال :**

**البدور، جابر ، واحمد ، عبد الغفور (2011) . <u>مبادىء الاقتصاد الجزئي</u> . عمان : دار زهران للنشروالتوزيع .**

Laudon , kennthe, & Laudon, Jane (2004) . <u>Management information systems: managing the digital firm</u> . Upper Saddle River , New Jersy : Prentice – Hall International, Inc.

علما ان التوثيق داخل النص يكون ( العائلة للاول و العائلة للثاني ، السنة ، الصفحة ) .

(البدور , احمد ، 2011 ، 104) بالعربي ، و( Laudon & Laudon, 2004, 16) بالانكليزي .

وكذلك لو كان هناك ثلاثة مؤلفين .

**ج – في حالة عدم وجود سنة اصدار للكتاب فيكتب المرجع كما يلي :**

نفس السياق الاول سوى اضافة كلمة بدون محل سنة النشر .

| **author(family,name) , and scond author (family,name)** | **(n.d)** | . | **Book title** | . | **country** | , | **Place of Puplication (city)** | : | **publisher** | . |
|---|---|---|---|---|---|---|---|---|---|---|
| اسم العائلة ، الاسم للمؤلف الاول ثم فاصلة مع حرف و واسم العائلة متبوعا بفاصلة ثم اسم المؤلف الثاني | ذكر كلمة بدون محل سنة النشر بين قوسين | نقطة | عنوان الكتاب | نقطة | الدولة او المقاطعة | فاصلة | مكان او مدينة النشر | نقطتين شارحة | اسم الناشر | نقطة |

**مثال :**

**البدور، جابر ، واحمد ، عبد الغفور ( بدون) . <u>مباديء الاقتصاد الجزئي</u> . عمان : دار آمنة للنشروالتوزيع .**

Laudon, kennthe, & Laudon, Jane (n.d) . <u>Management information systems: managing the digital firm</u> . Upper Saddle River, New Jersy: Prentice–Hall international, Inc.

علما ان التوثيق داخل النص يكون ( العائلة للاول و العائلة للثاني ، بدون ، الصفحة ) .

(البدور، احمد، بدون ، 104) بالعربي ، و( Laudon & Laudon, n.d, 16) بالانكليزي .

**د - في حالة وجود كتاب مترجم فيكتب المرجع كما يلي :**

نفس السياق السابق سوى اضافة بين قوسين بعد نقطة انتهاء عنوان الكتاب كلمة ترجمة ثم نقطتين شارحة ثم الاسم الكامل للمترجم .

علما بالانكليزي نفس الشيء وتستبدل النقطتين شارحة بفاصلة .ثم نضيف في النهاية سنة تاليف الكتاب الأصلي

| Author (family, name) | (year of translation) | . | Book title | . | country | name of translator & Translat ward | , | Place of Puplication(city) | : | publisher | . | Orginal work published |
|---|---|---|---|---|---|---|---|---|---|---|---|---|
| اسم العائلة ، الاسم للمؤلف | سنة ترجمة الكتاب بين قوسين | نقطة | عنوان الكتاب باللغة التي ترجم اليها | نقطة | الدولة او المقاطعة | كلمة ترجمة : ثم اسم المترجم بشكل كامل | فاصلة | مكان او مدينة النشر | نقطتين شارحة | اسم الناشر | نقطة | ذكر عبارة سنة النشر الاصلية ثم توضع السنة |

**مثال :** توراو، توكودا (2007) . قوة امي. (ترجمة : ماهر الشربيني) . عمان : دار جهينة للنشر والتوزيع .( سنة النشر الاصلية 1993) .

لاحظ ان السنة هي سنة نشر ترجمة الكتاب وليست سنة تأليف الكتاب الاصلي اما سنة التاليف فتوضع نهاية كتابة المرجع يسبقها عبارة سنة النشر الاصلية بين قوسين .

ادناه كتاب مترجم من الفرنسية للانكليزية :

Laplace,P. (1951) . **A philosophical essay on probabilities** (F.W.Truscot ,Trans.) . New york : Dover . ( Orginal work published 1814 ).

علما ان التوثيق داخل النص يكون ( العائلة ، سنة النشر الاصلية / سنة النشر سنة الترجمة ، الصفحة ) .

(توكودا ، 2007 /1993 ، 117 ) بالعربي ، و(laplace, 1814/1951, 224 ) بالانكليزي .

**٥- في حالة وجود كتاب محرر فيكتب المرجع كما ياتي :**

نبدء باسم محرر الكتاب ليحل محل المؤلف متبوعا بكلمة ( Eds ) بين قوسين .

| Editor (family, name | (Eds). | (year) | . | Book title | . | country | , | Place of Puplication (city) | : | publisher | . |
|---|---|---|---|---|---|---|---|---|---|---|---|
| اسم العائلة ، الاسم للمحرر | كلمة (Eds ) متبوعة بنقطة | سنة التحرير بين قوسين | نقطة | عنوان الكتاب | نقطة | الدولة او المقاطعة | فاصلة | مكان او مدينة النشر | نقطتين شارحة | اسم الناشر | نقطة |

**مثال :**

عباس، احسان ( .Eds ) .(1984). **مراجعات حول العروبة والإسلام وأوروبا** . الكويت ، الكويت العاصمة : مطبعة الجامعة.

Massaro, D. (Eds.). (1992). ***Cognition*: *Conceptual and Methodological Issues*** . Washington , DC: American Psychological Association.

علما ان التوثيق داخل النص يكون ( العائلة ، سنة النشر ، الصفحة ) .

( Massaro,1992 ) ( 1984 ، احسان )

**و - في حالة وجود كتاب بدون مؤلف او محرر فيكتب المرجع كما ياتي :**

نستخدم نفس الطريقة الواردة في (أ) اعلاه مع عدم ذكر المؤلف او المحرر ونبدء باسم الكتاب مباشرة ليحل محله.

| Book titl e | . | (year) | . | country | , | Place of Puplication (city) | : | publisher | . |
|---|---|---|---|---|---|---|---|---|---|
| عنوان الكتاب بخط مائل او غامق او تحته خط | نقطة | سنة النشر بين قوسين | نقطة | الدولة او المقاطعة | فاصلة | مكان او مدينة النشر | نقطتين شارحة | اسم الناشر | نقطة |

**مثال :**

نظم الادارة الادارية. (1996). لبنان، بيروت: المؤسسة الجامعية للكتب .

**Educational research: An introduction . (1997) . New York : Longman.**

علما ان التوثيق داخل النص يكون ( اسم الكتاب ، سنة النشر ، الصفحة ) .

(نظم المعلومات الادارية ، 1996 ) **(Educational research: An introduction,1997)**

3— في حالة **مجلات journals** فيكتب المرجع كما ياتي:

| Auther (family, name) | (year) | . | articls title | . | Name of journals | , | Vol. &(No.) | , | Pages of articl | Place of Puplication (city) | , | City ,country |
|---|---|---|---|---|---|---|---|---|---|---|---|---|
| اسم العائلة ، الاسم لمؤلف المقال (او اكثر من مؤلف) | سنة النشر بين قوسين | نقطة | عنوان المقال | نقطة | اسم المجلة غامق او بخط مائل او تحته خط | فاصلة | رقم المجلد يليه بين قوسين رقم العدد | فاصلة | الصفحات التي احتلها المقال في المجلة | مكان او مدينة النشر | فاصلة | المدينة متبوعة بفاصلة ثم اسم الدولة |

**مثال :**

البدور ، جابر (2010) . اهمية نظم اللمعلومات الادارية . **مجلة دراسات** ، 36 (12)، 45-56 ، الجامعة الاردنية ، عمان ، الاردن .

Qrunfleh, M. M. (1991). Studies on the hawthorn (*Crataegus azarolus* L.): II.Changes in abscisic acid content during cold stratification in relation to seedgermination. **Journal of Horticultural Science**, 1(66), 223 - 226.

ملاحظة : يمكن عدم ذكر البلد والمدينة في حالة عدم وجودهما.

4. **الرسائل الجامعية** فيكتب المرجع كما ياتي:

| Auther (family,name) | (year) | . | Thesis title | . | Unpublished master thesis | , | Name of university | , | City , country | . |
|---|---|---|---|---|---|---|---|---|---|---|
| اسم العائلة ، الاسم للمحرر | سنة بين قوسين | نقطة | عنوان الرسالة او الاطروحة بالخط المائل او تحته خط او غامق | نقطة | تكتب جملة رسالة ماجستير | فاصلة | اسم الجامعة التي قدمت لها الرسالة | فاصلة | المدينة متبوعة بفاصلة ثم اسم الدولة | نقطة |

**مثال :**

رمضان، طارق ( 2008) . **اثر التنمية البشريةفي تطوير الادارة الصناعية وبناء منظمة الاعمال الريادية**. أطروحة دكتوراه ، جامعة عين شمس، القاهرة، مصر.

Al- Smadi, Y.M. (1999). **Evaluation of the "Class Teacher" Pre-Service Teacher Education Programme at The University of Jordan**.Unpublished doctoral dissertation, University of Susses, Brighton, UK.

علما ان التوثيق داخل النص يكون ( العائلة ، سنة النشر ، الصفحة ) .

**ملاحظة :** في حالة عدم نشر الرسالة او الاطروحة فيمكن اضافة الجملة ( اطروحة دكتوراه غير منشورة ) .

5. صحيفة يومية **Newspapers** فيكتب المرجع كما ياتي:

| Auther (family,name) | (year,month,day) | , | articls title | . | Name of Newspaper | , | (No.) | , | Pages of articl | . |
|---|---|---|---|---|---|---|---|---|---|---|
| اسم العائلة ، الاسم لمؤلف المقال (او اكثر من مؤلف) | سنة وشهر ويوم النشر بين قوسين | فاصلة | عنوان المقال | نقطة | اسم الصحيفة غامق او بخط مائل او تحته خط | فاصلة | رقم العدد | فاصلة | الصفحة او الصفحات التي احتلها المقال في المجلة | نقطة |

الساعدي ، عبدالامير (2010، 16 نوفمبر ) . أمن المعلومات والنظم الادارية . جريدة الراي ، 156 ، ص . 4 .

Almansor, Ali (2010,November 21). Cultivating positive emotions to optimize health . ***Jordan Times***, No.5290,p.5.

علما ان التوثيق داخل النص يكون ( العائلة ، سنة النشر ، الصفحة ) .

6. إذا كان مصدر المعلومات من شبكات الاتصال الإلكترونية فتكتب المراجع كما يأتي:

| Author (family,name) | . | (year) | . | Title of articl | . | Name of jurnal | , | Pages of articl | Vol. &(No.) | Retrieved date | . | Web address . |
|---|---|---|---|---|---|---|---|---|---|---|---|---|
| اسم العائلة ، الاسم لمؤلف المقال (او اكثر من مؤلف) | نقطة | سنة النشر بين قوسين | نقطة | عنوان البحث او المقال | نقطة | اسم المجلة بخط مائل او تحته خط | فاصلة | الصفحات التي احتلها المقال في المجلة | رقم المجلد يليه بين قوسين رقم العدد | تاريخ زيارة الموقع باليوم والشهر ثم فاصلة وتذكر السنة | نقطة | تحديد عنوان الموقع الالكتروني متبوعا بنقطة |

مثال:

محمود ، احمد (2008) . التخطيط الاستراتيجي لنظم المعلومات . جمعية الحاسبات السعودية ، زيارة 11 اب ، 2010 ، على شبكة الانترنيت http://www.govit.org.sa/estratege.asp:

Fredrickson, B. L. (2000). Cultivating positive emotions to optimize health and well-being. **Prevention & Treatment**, 3(11) ,25 – 28, Retrieved July 12,2010 from http://journals.apa.org/prevention/volume3/ **pre0030001a.html.**

علما ان التوثيق داخل النص يكون ( العائلة ، سنة النشر) .

**ملاحظة** :أ-في حالة اخذ المقال من الموقع من مكان اخر ليس مجلة ، فنستخدم نفس الاسلوب حذف فقرة اسم المجلة وعددها.

ب- إذا كان مصدر المعلومات من أحد المواقع على الإنترنيت لا تتوفر فيه المعلومات أعلاه:

الإسم الأخير، الإسم الأول. (تاريخ). عنوان الدراسة. (on-line). متوفر (Available). تاريخ زيارة الموقع.

### 12. المقابلات او الاتصال الشخصي **Personal Interviews**

لاتوثق المقابلات والاتصالات الشخصية في قائمة المراجع والمصادر وانما فقط تـذكر في مـتن المشروع وكما ياتي :

اسم الشخص كاملا ، عبارة" مقابلة شخصية، السنة .

**مثال:**

( عبد الغفور ابراهيم ، مقابلة شخصية ، 2011)

(Abadelah, M., Personal communication, 2002).

## ثانيا : طريقة التوثيق وفق نظام جامعة هارفرد

## System Documentation Methods by Harvard

### أ- كتابة المراجع عند ورودها في النص أو المتن

**Documentation in the text**

تثبت المراجع التي يعود اليها الطالب في مشروع تخرجه داخل النص او متن البحث ، وفي الغالب وفق الصيغة التالية :

( عائلة المؤلف ، سنة اصدار المرجع ، رقم الصفحة )

مثال باللغة العربية : ( البدور، 2011 ، ص 12)

في حالة اكثر من صفحة ( البدور، 2011 ، ص ص 12)

مثال باللغة الانكليزية : ( Al- Bdour, 2011, p.220 )

( Al-Bdour, 2005, pp. 220-230)

اما اذا ذكر اسم المؤلف في سياق الحديث فلا نكتبه داخل القوس ، مثال :

وقد اكد البدور (2002، ص 12 )

Moir and Jessel (1991, pp. 93-4)

Moir and Jessel (1991)

ويمكن ذكر المرجع في المتن بدون الصفحة ، مثال :

مثال باللغة العربية : ( البدور، 2011)

مثال باللغة الانكليزية : (Bell, 2005 )

**ب- كتابة المراجع عند ورودها في قائمة المراجع ( Documentation (References**

1. إذا كان القرآن الكريم او الانجيل فنستخدم نفس الاسلوب السابق .

## 2. توثيق الكتب ( Citing Book )

أ - في حالة وجود مؤلف واحد فيكتب المرجع كما ياتي :

ملاحظة ( ليس هناك فرق في الترتيب بين اللغة العربية او الانكليزية ) .

| Author(family,name) | (year) | , | Book title Bold | , | Publisher name | , | Place of Puplication | . |
|---|---|---|---|---|---|---|---|---|
| اسم العائلة ، الاسم الاول للمؤلف | سنة النشر بين قوسين | فاصلة | عنوان الكتاب | فاصلة | اسم الناشر | فاصلة | مكان او مدينة النشر | نقطة |

**مثال :**

عربي: برير ، كامل (1996)، **نظم الادارة المحلية** ، المؤسسة الجامعية للكتب، بيروت.

**انكليزي** Berkman, RI (1994), *Find it fast: how to uncover expert information on any subject,*

Harper perennial, New York.

لاحظ نميز عنوان الكتاب بالتسويد او بكتابته بحروف مائلة .

كذلك لاحظ : اذكر رقم الطبعة في حالة طبع الكتاب اكثر من طبعة واحدة.

| Author(family,name) | (year) | , | Book title (Edition Nr). | , | Publisher name | , | Place of Puplication(city) | . |
|---|---|---|---|---|---|---|---|---|
| اسم العائلة ، الاسم الاول للمؤلف | سنة النشر بين قوسين | فاصلة | عنوان الكتاب + رقم الطبعة بين فاصلتين | فاصلة | اسم الناشر | فاصلة | مكان او مدينة النشر | نقطة |

**مثال :**

عربي: برير ، كامل (1996)، نظم الادارة المحلية ، ط4 ، المؤسسة الجامعية للكتب، بيروت.

إنكليزي:

Berkman, RI 1994, *Find it fast: how to uncover expert information on any subject*, 4th ed;

Harper perennial, New York.

لاحظ نميز عنوان الكتاب بالتسويد او بكتابته بحروف مائلة .

علما ان التوثيق داخل النص يكون (برير ، 1996 ، ص24) بالعربي ، و(Gall, 1997, p11) بالانكليزي .

**ب – في حالة وجود مؤلفان او اكثر للكتاب فيكتب المرجع كما يلي :**

نفس السياق الاول سوى اضافة اسم العائلة واسم المؤلف الثاني .

| Auther(family,name) ,and scond auther (family,name) | (year) | , | publisher | , | Place of Puplication( city) | . |
|---|---|---|---|---|---|---|
| اسم العائلة ، الاسم للمؤلف الاول ثم فاصلة مع حرف و واسم العائلة متبوعا بفاصلة ثم اسم المؤلف الثاني | سنة النشر | فاصلة | اسم الناشر (تذكر اذا اكثر من طبعة ان وجدت) | فاصلة | مكان او مدينة النشر | نقطة |

**مثال :**

**عربي: البدور، جابر ، واحمد ، عبد الغفور (2011) . مباديء الاقتصاد الجزئي ، دار آمنة للنشر والتوزيع ، عمان .**

**إنكليزي:**

Cengel, YA & Boles, MA (1994), Thermodynamics: an engineering approach, 2nd edn; McGraw Hill, London.

علما ان التوثيق داخل النص يكون ( العائلة للاول و العائلة للثاني ، السنة ، الصفحة ) .

(البدور,احمد ،2011، ص104) بالعربي، و( Laudon& laudon, 2004, p16) بالانكليزي .

**ج - في حالة عدم وجود سنة اصدار للكتاب فيكتب المرجع كما يلي :**

نفس السياق الاول سوى اضافة كلمة بدون محل سنة النشر .

| Auther(family,name) ,and scond auther (family,name) | (n.d) | Book title | . | , | Publisher name | , | Place of Puplication (city) | . |
|---|---|---|---|---|---|---|---|---|
| اسم العائلة ، الاسم للمؤلف الاول ثم فاصلة مع حرف و واسم العائلة متبوعا بفاصلة ثم اسم المؤلف الثاني | نذكر بدون سنة النشر (بدون) | عنوان الكتاب | نقطة | فاصلة | اسم الناشر (تذكر اذا اكثر من طبعة ان وجدت) | فاصلة | مكان او مدينة النشر | نقطة |

**مثال :**

**عربي : البدور، جابر ، واحمد ، عبد الغفور ( بدون) . <u>مبادىء الاقتصاد الجزئي</u> ، دار آمنة للنشر والتوزيع، عمان.**

**انكليزي:**

Cengel, YA & Boles, MA, n.d,, <u>Thermodynamics: an engineering approach</u>, 2nd edn; McGraw Hill, London.

علما ان التوثيق داخل النص يكون ( العائلة للاول و العائلة للثاني ، بدون ، الصفحة ) .

(البدور، احمد، بدون، ص104) بالعربي، و( Laudon& laudon, n.d, p16) بالانكليزي .

**د- في حالة وجود كتاب محرر فيكتب المرجع كما ياتي :**

نبدء باسم محرر الكتاب ليحل محل المؤلف متبوعا بكلمة ( eds ) بين قوسين .

| Editor (family,name) | (eds) | (year) | , | Book title | , | publisher | , | Place of Puplication (city) | . |
|---|---|---|---|---|---|---|---|---|---|
| اسم العائلة ، الاسم للمحرر | كلمة eds بين قوسين | سنة التحرير | فاصلة | عنـــــوان الكتاب | فاصلة | اسم الناشر | فاصلة | مكـان او مدينـة النشر | نقطة |

**مثال :**

القضاة، محمد أحمد( .2010(Eds، ثقافة التنوير في الوطن العربي، جامعة الأميرة سمية للتكنولوجيا، عمان.

Pike, ER & Sarkar, S (eds.) 1986, *Frontiers in quantum optics*, Adam Hilger, Bristol.

علما ان التوثيق داخل النص يكون ( العائلة ، سنة النشر ، ممكن اضافة الصفحة ).

( Massaro, 1992 ) ( القضاة، 2010)

**٥ - في حالة وجود كتاب بدون مؤلف او محرر فيكتب المرجع كما ياتي :**

نستخدم نفس الطريقة الواردة في (أ) اعلاه مع عدم ذكر المؤلف او المحرر ونبدء باسم الكتاب مباشرة ليحل محله.

| **Book title** | **(year)** | , | **Book title** | , | **publisher** | , | **Place of Puplication(city)** | . |
|---|---|---|---|---|---|---|---|---|
| عنوان الكتاب بخط مائل او غامق او تحته خط | سنة النشر | فاصلة | عنوان الكتاب | فاصلة | اسم الناشر | فاصلة | مكان او مدينة النشر | نقطة |

**مثال :**

نظم الادارية (1996) ، المؤسسة الجامعية للكتب ، بيروت.

**Educational research: An introduction** (1997), Longman, New York.

علما ان التوثيق داخل النص يكون ( اسم الكتاب ، سنة النشر ، الصفحة ) .

(نظم المعلومات الادارية ، 1996 ) **(Educational research: An introduction, 1997)**

3— في حالة **المجلات** **journals** فيكتب المرجع كما ياتي:

| Auther(family,name) | (year) and month | , | articls title | , | Name of journals | , | Vol. &(No.) | , | Pages of articl | . |
|---|---|---|---|---|---|---|---|---|---|---|
| اسم العائلة ، الاسم لمؤلف المقال (او اكثر من مؤلف) | الشهر وسنة النشر | فاصلة | عنوان المقال (( )) | فاصلة | اسم المجلة بخط غامق | فاصلة | رقم المجلد يليه بين قوسين رقم العدد | فاصلة | الصفحات التي احتلها المقال في المجلة | نقطة |

**مثال :**

البدور ، جابر، نيسان،2010 ، اهمية نظم اللمعلومات الادارية ، <u>**مجلة دراسات**</u> ، 36 (12)، ص ص 45-56.

Huffman, LM April 1996, 'Processing whey protein for use as a food ingredient', *Food Technology*, vol. 50, no. 2, pp. 49-52.

ملاحظة : في حال عدم وجود البلد والمدينة فممكن عدم ذكرهما .

3. **الرسائل الجامعية** فيكتب المرجع كما ياتي:

| Auther (family,name) | (year) | , | Thesis title | . | Name of degree | , | Name of university | , | City , country | . |
|---|---|---|---|---|---|---|---|---|---|---|
| اسم العائلة ، الاسم للمحرر | سنة | فاصلة | عنوان الرسالة او الاطروحة بالخط المائل او تحته خط او غامق | نقطة | تكتب جملة رسالة ماجستير او دكتوراه | فاصلة | اسم الجامعة التي قدمت لها الرسالة | فاصلة | المدينة | نقطة |

مثال :

رمضان، طارق2008 ، **اثر التنمية البشرية في تطوير الادارة الصناعية وبناء منظمة الاعمال الريادية**، أطروحة دكتوراه ، جامعة عين شمس، القاهرة.

Exelby, HRA 1997, ‘Aspects of gold and mineral liberation’, PhD thesis, University of Queensland, Brisbane.

علما ان التوثيق داخل النص يكون ( العائلة ، سنة النشر ، الصفحة ) .

5. صحيفة يومية **Newspapers** فيكتب المرجع كما ياتي:

| Auther(family,name) | (year) | , | articls title | , | Name of newspaper | , | Date of issuing | , | Pages of articl | . |
|---|---|---|---|---|---|---|---|---|---|---|
| اسم العائلة ، الاسم لمؤلف المقال (او اكثر من مؤلف) | سنة النشر | فاصلة | عنوان المقال | فاصلة | اسم الصحيفة | فاصلة | تاريخ الاصدار | فاصلة | الصفحات التي احتلها المقال في المجلة | نقطة |

مثال :

الساعدي، عبدالامير2010 ، تاريخ الوطن العربي في القرن العشرين ، جريدة الراي ،16 تشرين الثاني، ص4. .

Simpson, L 1997, 'Tasmania's railway goes private', *Australian Financial Review*, 13 October, p. 10.

علما ان التوثيق داخل النص يكون ( العائلة ، سنة النشر ، الصفحة ) .

6. إذا كان مصدر المعلومات من شبكات الاتصال الإلكترونية فتكتب المراجع كما يأتي:

| Author(family,name) | (year) Or n.d | , | Title of articl | , | Name of Source | Retrieved date | , | Web address . |
|---|---|---|---|---|---|---|---|---|
| اسم العائلة ، الاسم لمؤلف المقال (او اكثر من مؤلف) | سنة النشر او بدون في حالة عدم وجود سنة نشر | فاصلة | عنوان البحث او المقال | فاصلة | اسم المجلة او المصدر | تاريخ زيارة الموقع باليوم والشهر ثم فاصلة وتذكر السنة | فاصلة | تحديد عنوان الموقع الالكتروني متبوعا بنقطة |

مثال :

محمود ، احمد 2008،التخطيط الاستراتيجي لنظم المعلومات ، جمعية الحاسبات السعودية ، زيارة 11 اب ، 2010 ، على شبكة الانترنيت www.govit.org.sa/estratege.asp

Weibel, S 1995, 'Metadata: the foundations of resource description', *D-lib Magazine*, viewed 7 January 1997, <http://www.dlib.org/dlib/July95/07weibel.html>

علما ان التوثيق داخل النص يكون ( العائلة ، سنة النشر) .

**12. المقابلات Personal Interviews**

لاتوثق المقابلات والاتصالات الشخصية في قائمة المراجع والمصادر وانما فقط تذكر في متن المشروع وكما ياتي :

اسم الشخص كاملا والسنة ، عبارة" اتصال شخصي ، وتاريخ المقابلة .

**مثال:**

( عبد الغفور ابراهيم 2011، مقابلة شخصية ، 15 يناير)

(P. Jones 1995, personal Interview, 15 June).

## بعض المختصرات والالفاظ المتقابلة التي تستخدم في مشاريع التخرج

هناك العديد من الاختصارات والالفاظ المتقابلة باللغة العربية والانكليزية والتـي اجازهـا واعتمدها البحث العلمي في البحوث التي تعد ، وفيما ياتي نوضح ابرزها :

بعض المختصرات الممكن استخدامها في مشاريع التخرج

| Abbreviation | Full word |
|---|---|
| Chap, Chaps | Chapter(s) |
| ed. | Edition |
| Rev. ed. | Revised Editio |
| 2nd. ed | Second Edition |
| Ed. (Eds.) | Editor (Editors) |
| Trans. | Translator (s) |
| n.d. | No date |
| p. (pp.) | Page (pages) |
| anon | anonymous |
| Bk.,Bks. | Book(s) |
| No.,Nos. | Number(s) |
| Op.cit | Opera citato-in the work already |
| Vol. | Volume (as in Vol.4) |
| Vols. | Volumes (as in 4 Vols.) |
| Pt. | Part |
| Trans. | translated |
| Tech. Rep. | Technical Report |
| e. g. | For example |
| Ibid. | Ibidem (Same reference) |
| Art. | Article |
| div. | division |
| Etal. | Etalii |
| Suppl. | Supplement |

كذلك يمكن ملاحظة ادناه الالفاظ باللغة العربية وما يقابلها من الفاظ باللغة الانكليزية:

**بعض الالفاظ المتقابلة الممكن استخدامها في مشاريع التخرج**

| باللغة العربية | English language |
|---|---|
| اخرون | Et al. |
| محرر | editor |
| مترجم | Translator |
| طبعة | edition |
| طبعة منقحة | Revised edition |
| مقابلة | Private Interview |
| غير منشور | Unpublished |
| تحت الطباعة | Inpress |
| الصفحة (ص.) | Page (p.) |
| الصفحات (ص ص.) | Pages (pp.) |
| جزء | Volume |
| بدون تاريخ (ب.ت ) | no date (n.d) |
| كما ورد في | As cited in |
| هجائيا (أ، ب،ت،......) | Alphabetic (a,b,c,...) |
| اداة التعريف (أل ) | Defining articale (the ,a) |

كذلك نرى ضرورة مراعاة بعض دلالات علامات الضبط الكثيرة الاستخدام وكما يلي:

1- النقطة (.) في نهاية الجملة تامة المعنى.

2- النقطتان المترادفتان (:) بعد التفريع، العناوين، قبل مقول القول والأمثلة.

3- الفاصلة (،) الفصل بين العناصر، الوقف البسيط داخل الجملة.

4- الأقواس المنحنية (...) توضع بينهما معاني العبارات المراد توضيحها.

5- علامة التنصيص ("...") توضع في حالة الإقتباس المباشر ونقل النص حرفياً

## الجزء الرابع: الملاحق Appendices

تعد الملاحق مكاناً لتخزين ادوات البحث والمعلومات التي تدعم مشروع التخرج والتي لاتتصل بها بشكل مباشر . ومن معايير ادراج الملاحق ان تكون هذه المعلومات ضرورية لإدراك وتوضيح نص في المشروع التخرج . ولايجوز وضع الملاحق دون الاشارة اليها والى رقمها في المتن اي يشار إليها في متن مشروع التخرج ، وتأتي الملاحق بعد قائمة المراجع مباشرة، كما أنها تأتي مرقمة ومعنونة حسب مضمونها، حيث ترقم الملاحق ترقيما متسلسلا، ويكون لكل ملحق عنوان يوضح مايحتوي عليه مضمونه بدقة وايجاز. ويمكن أن نتناول ابرز ماتحتويه الملاحق من معلومات :

- الاختبارات أو الاستبيانات بصورتها الأولى وبعد التعديل.
- قائمة بأسماء وعناوين وتخصصات المحكمين .
- الرسائل الموجهة للجهات المعنية ذات العلاقة بالدراسة .
- الخطط الدراسية أو ورشات العمل المستخدمة.
- نماذج من استجابات أو أعمال أفراد الدراسة أو المشاركين فيها.
- عرض برامج الكومبيوتر التي استعان بها البحث .
- ممكن اضافة بعض الاقتباسات من الوثائق الرسمية مثل ملفات المواصفات او متطلب لجنة الفحص او وثيقة تعاون وغيرها .
- الجداول الإحصائية الطويلة (اكثر من 3 صفحات).
- برامج الكمبيوتر الطويلة ( أكثر من 3 صفحات).
- أي معلومات تدعم نصاً ورد في متن البحث ( مثال أن تضع قانوناً متعلقاً بنقاط ذكرت في المتن).

**الجزء الخامس: الصفحات الأخيرة لمشروع التخرج (الخلاصة باللغة الأخرى).**

في نهاية مشروع التخرج أي بعد انجاز كافة المتطلبات التي سبق ذكرها. تختم صفحات المشروع بوضع الخلاصة باللغة العربية إذا كان مشروع التخرج مكتوب باللغة الإنكليزية، أو بالعكس توضع الخلاصة باللغة الانكليزية اذا كان مشروع التخرج مكتوب باللغة العربية.

**نموذج خلاصة باللغة العربية لمشروع تخرج مكتوب اللغة الإنجليزية**

الخلاصة

**في ظل ثورة المعلومات زاد عدد التطبيقات الالكترونية التي تساعد المستخدمين على توفير الوقت والتكاليف والجهد لتسهيل وتطوير إدارة وممارسه أعمالهم ومشاريعهم. حيث اظهرت الدراسات الرسمية لدائرة الاحصاءات العامة في الاردن أن عدد مستخدمي الانترنت في العالم ككل و في الاردن خاصة يتزايد بشكل مستمر.**

**ان الأعمال الخيريه تهدف لمساعدة المحتاجين والفقراء دون مقابل، الى جانب ذلك فقد أثبتت الدراسات العالميه بأنها تبلور شخصية المتبرع الى الافضل وتساهم في تنمية وتطور المجتمع. من هنا جاءت فكرة الباحثين في تصميم مشروع التخرج لبناء نظام الإلكتروني للأعمال الخيريه من اجل تسهيل ودعم وتطوير العمل الخيري في الاردن.**

**وتكمن أهمية هذا المشروع والفكرة التي بني على اساسها في ضعف الاهتمام بأهمية العمل الخيري. لذلك اردنا أن نجعل من النشاطات الخيريه أكثر حماساً وتنظيماً للوصول لأكبر عدد من المتطوعين والمتبرعين للمشاركه في الأنشطة الخيرية المقترحة من الجمعيات المعنية.**

**أن مقترح النظام الالكتروني للاعمال الخيريه بني حسب المراحل الأربعة الأساسيه المتبعة لبناء أي نظام إلكتروني وهي التخطيط، التحليل، التصميم والتطبيق بالاضافه إلى التفاصيل الضروريه لبناء نظام نهائي فعال بطريقة سهله وصحيحة مستقبلاً.حيث تم تناول ذلك عبر ستة فصول اختتمت بالاستنتاجات والتوصيات.**

Printed in the United States
By Bookmasters